新世紀

第 308 号（2020 年 9 月）

The Communist

帝国主義打倒！
スターリン主義打倒！
万国の労働者団結せよ！

2020年9月　No.308　目次

新世紀

日本革命的共産主義者同盟　革命的マルクス主義派　機関誌

第58回国際反戦集会　海外へのアピール

米中冷戦下の戦争勃発の危機を突き破る反戦闘争を創造せよ

二〇二〇年七月四日　第58回国際反戦集会実行委員会

戦争と圧政と貧困をうち砕くために世界で奮闘している同志諸君！　労働者・学生・知識人諸君！

いまわれわれは、一つの時代が終わり一つの時代が幕をあける世界史的激動の真っ只中におかれている。

中国の武漢に発生した新型コロナウイルスは、「ヒト・モノ・カネ」の国境をこえた移動、いわゆるグローバル経済の波にのって、またたく間に世界を席捲した。このパンデミックに戦慄したのが、つい昨日まで資本制経済の全球的拡大に酔い痴れてきた世界の権力者と資本家どもであった。権力者どもは慌てふためいて国境を閉鎖し都市を封鎖し、資本家どもは生産をストップした。そして許しがたいことに、みずからの延命のために労働者階級を容赦なく路頭に放り出したのだ。

世界経済が一瞬にして凍りついたこの〈パンデミ

ック恐慌＞のなかで、むきだしになったのは十九世紀的＝古典的な階級分裂と貧困である。このことは、末期資本主義の死の痙攣《けいれん》が始まったことを意味する。マルクスの言葉で言えば末期資本主義はいままさにみずからの墓掘り人を日々生産しているのだ。

それだけではない。現下のパンデミックのもとで、現代世界はいまやいつ火を噴くかもしれない＜米中冷戦＞へと一挙に急旋回した。その能動的実体はいうまでもなく、「市場社会主義」などという反マルクス主義の旗を恥ずかしげもなく掲げているネオ・スターリン主義中国である。「新型コロナウイルスが米国の世紀を終わらせた」（中国の御用メディア）というあからさまな言辞をみよ！　習近平政権は、アメリカ帝国主義が新型コロナの感染爆発でのたうちまわっている今が「この時」とばかりに、今世紀の半ばには、アメリカを追い抜き世界の覇者になるという「中国の夢」にむかって、その政治的軍事的諸策動を一気に加速しだした。この中国官僚の野望をむきだしにした号砲が、香港人民にたいする「二十一世紀の天安門事件」であり、「一国二制度」の絞殺にほかならない。まさにこのことを起動力として、いまや第三次世界大戦勃発の現実的可能性が高まりつつあるのだ。

全世界の労働者・人民よ！　戦争は貧困を生み貧困は戦争を生むのであって、今こそ全世界の労働者階級は団結し、米中冷戦下の戦争的危機をつき破る反戦闘争と、パンデミック恐慌のもと一切の犠牲を労働者階級に転嫁する政府＝支配階級を叩きのめす政治経済闘争とを同時にくりひろげるのでなければならない。

われわれは、二〇二〇年八月二日に第五十八回国際反戦集会を、東京をはじめ日本の七都市で開催する。戦争と貧困に苦しむ世界の人民は心を一つにし、「暗黒の二十一世紀」をプロレタリアの輝かしい世紀へと逆転することをめざした闘いを開始しようではないか！

香港・台湾を焦点とした米・中の激突

七月一日に習近平政権は「香港国家安全法」の施

行を強行した。抗議した人民を「外国の手先」と烙印して次々に逮捕しさった。習近平政権は、「香港独立」を掲げる人民を根こそぎ逮捕し、香港人民を中国政府・中国軍のもとに直接くみしいて、「一国二制度」を最後的に葬りさる暴挙にふみきったのだ。それはまさに、「社会主義市場経済」などという強欲なブルジョアどもを幻惑する看板の背後に隠してきたスターリニスト権力者としての血塗られた本性をむきだしにしたものにほかならない。

この香港人民にたいする北京官僚の暴挙は当然にも、台湾の蔡英文政権をしてますます「台湾独立」への志向を強めさせている。だが、いずれは台湾を国家的に統一することをあくまでも中国の「核心的利益」と位置づけているのが習近平政権であって、彼らは先の全国人民代表大会の政府活動報告において「台湾の平和統一」という従来の文言からわざわざ「平和」を削除してみせたのであった。そして、彼ら北京官僚政府は、南シナ海を事実上領海化したことにふまえて、いまや尖閣諸島を奪取する策動を強めるとともに、台湾海峡へ・さらには西太平洋へと海・空軍を展開させているのだ。

こうした習近平政権による「中華ナショナリズム」の外にむかっての強硬な貫徹にたいして、アメリカのトランプ政権は、香港の「一国二制度」の破壊にたいしては弱々しい制裁を発動するとともに、蔡英文政権をバックアップするために米艦に台湾海峡を通過させる軍事的デモンストレーションをくりかえしている。

こうしていまや台湾海峡は、米中両軍が対抗的に軍事行動をくりひろげる一触即発の緊迫した状況にあるのである。

習近平政権は、「建国一〇〇年」の二〇四九年には「社会主義現代化強国」を建設するという国家的目標をうちだし、中国国家が「世界の中華（＝中心）」として君臨することを世界戦略としている。この国家的目標にむかって突進を開始したのが、習近平率いるネオ・スターリニスト中国なのだ。

そしてこうした習近平政権と結託して、対米挑戦

「香港人民への弾圧を許すな！」中国大使館に断固抗議（20年５月28日）

にうってでているのが、プーチンのロシアである。依然としてアメリカに並ぶ核大国であるロシアは、「大国ロシアの復権」という国家戦略を実現するために、中国と実質上の軍事同盟を結んでいる。そしてこの「大国ロシアの復権」を大義名分として、「現代の雷帝」を気取るプーチンは、みずからが二〇三六年まで大統領の座に居座ることを可能にする憲法の改定を強行し、強権的＝軍事的支配体制をますます強化しているのだ。

こうした米―中（露）の冷戦のもとで、トランプ政権は、四ヵ月後に迫った大統領選の劣勢をくつがえすことをも狙って、「偉大なアメリカの復興」を掲げ国家エゴイズムをむきだしにしつつ「世界の覇者」たらんとする中国を封じこめるために躍起になっている。「中国共産党独裁統治の世界への拡大を許すな」などと叫びたてながら（議会むけ政府報告書）。その環をなすのが、同盟国である属国・日本およびオーストラリアを従えての、対中国軍事的包囲網の構築にほかならない。

パンデミック下で、二十一世紀の「覇権」をアメリカからもぎとる策動にうってでたネオ・スターリン主義国家中国と、これをなんとしても阻まんとする没落帝国主義国家アメリカとがいま全面的に激突している。この米中冷戦のもとで、戦争勃発の危機がいやましに高まっているのだ。

熾烈化する米—中・露の核戦力強化競争

南シナ海を文字通り〝中国の領海〟としてうちかためるために習近平政権は、軍事拠点化した南沙・西沙の両諸島に「特別行政区」を設置し、南シナ海上空全域に「防空識別圏」を宣言する準備をすすめている。しかも、この政権は、東アジアにおける米軍の拠点たるグアムや在日米軍基地、西太平洋に展開する米空母を射程に入れた中距離ミサイル二〇〇〇発を、中国本土に配備しているのだ。

この中国陸・海・空軍の一大増強にたいして、南シナ海と台湾海峡に米軍艦隊を突入させ、中国軍の眼と鼻の先で軍事的威嚇を強行しているのがアメリカのトランプ政権なのである。中国が南シナ海で軍事演習を展開していた七月四日には、この演習に対抗して、同じ海域に原子力空母二隻を送りこみ演習を強行したのだ。まさに一触即発!

トランプ政権のアメリカ製ミサイル迎撃システム「イージス・アショア」導入要求を唯々諾々と受け入れてきた安倍政権は、六月末になってその設置計画を突如として撤回した。だが安倍政権は、北朝鮮・中国の軍事拠点を先制的に攻撃する「敵基地攻撃能力」を日本国軍がもつことを強力に迫るアメリカ政府の要請にあくまでも応えようとしているのだ。

東アジアにおける中距離ミサイルの配備競争を焦点として、米・中は自国核戦力の相互対抗的強化につきすすんでいる。

トランプ政権は、自国核戦力の強化にとって足かせになるとみなして、米・露間の「中距離核戦力全廃条約」を一方的に破棄した。「中国が参加しない軍縮交渉は意味がない」と称して、「新戦略兵器削減条約」の延長を拒否している。これにたいして、中・露両権力者は、アメリカのミサイル防衛システムをかいくぐる新型ミサイルの開発と実戦配備をおしすすめている。

中国およびロシアと、アメリカとの核戦力強化競争が、新たな次元において熾烈化しているといわなければならない。それればかりではない。米—中・露の権力者は、生物・化学兵器の開発に狂奔している。そもそも猛威をふるっている新型コロナウイルスの出所は、中国軍の監督下でコロナウイルスの研究にたずさわっていた武漢のウイルス研究所であって、米—中・露の権力者どもは現下のパンデミックを目のあたりにして、生物化学兵器の開発にますます拍車をかけるにちがいないのだ。

パンデミック恐慌下で戦争と貧困を強制する権力者どもを打ち倒せ！

全世界の労働者・人民諸君！　中東では、トランプ政権が、ロシアと中国を後ろ盾にして台頭するシーア派反米国家イランにたいして、経済制裁と軍事的圧力を一段と強めている。中東・ペルシャ湾岸での戦争の危機が高まっているのだ。トランプに庇護されたイスラエル・ネタニヤフ政権は、ヨルダン川西岸パレスチナ人自治区内のユダヤ人入植地をイスラエルに併合する策動を強化している。パレスチナ占領者イスラエルを弾劾せよ！　シリアにおいては、ロシアに庇護されたアサド政権が、反政府勢力の最後の砦イドリブにたいして、人民皆殺しの爆撃をつづけている。断じて許すな！

世界の労働者・人民諸君！　各国の独占資本家どもはいま、大量解雇・賃金切り下げの攻撃を労働者にふりおろしている。劣悪な環境で低賃金で働かされ使い捨てにされた黒人や移民の・またあらゆる人種の貧しい非正規雇用労働者たちは、飢餓と感染死に追いやられている。マネーゲームに狂奔する資本家・資産家どもは、政府による株価の人為的吊り上げによって、この数ヵ月で巨万の富を蓄えた。各国の権力者は、独占資本の救済のために莫大な国費を投じておきながら、困窮する人民は見殺しにしているのだ。アメリカからイギリスをはじめとするヨーロッパ諸国、世界中に人種の別をこえてひろがりつつある「人種差別反対」「格差拡大反対」デモは、こうした現実にたいする貧しき労働者たちの反逆にほかならない。

パンデミック下で拡大する富める者と貧しき者との「格差」とは、搾取する者と搾取される者との対立にほかならない。この資本家と労働者の階級対立が、パンデミック恐慌のなかで、むきだしの姿をあらわにしているのだ。「市場社会主義国」中国でも、二億の農民工が首を切られて路頭に放り出された。それればかりではない。資本主義諸国の権力者は、ブルジョア民主主義の装いさえかなぐり捨てて、強権的支配体制の強化に突進している。一切の犠牲を労働者に強制している資本家と権力者どもにたいして、たたかう人民は、今こそ労働者階級としての団結をうちかためて、反撃にうってでようではないか。

年金制度改悪に反対する労働組合のスト・デモ・集会を、フランス権力者マクロンは「今は戦時だ」とほざいて弾圧した。チリのピニェラ政権は、人民の燃えあがる反政府闘争を軍隊を動員して圧殺した。アルゼンチンやギリシャでも同様だ。各国権力者は、「感染対策」に乗じて、強権的支配体制の強化につきすすんでいる。今こそ、反撃に起とう！

戦争の危機と貧困におおいつくされた暗黒の二十

一世紀世界をくつがえしうるのは、搾取され支配される労働者階級の国際的に団結した闘いのみだ。今こそ、「社会主義大国」を自称し二十世紀世界を翻弄したニセ社会主義たるソ連スターリン主義の崩壊（一九九一年）の根拠と必然性にめざめ、国家と階級を廃絶して真の社会主義・共産主義を建設するための新たな歩みを開始しようではないか。帝国主義とスターリン主義に抗してたたかう労働者階級の組織的闘いの創造のために邁進してきたわが日本の革命的左翼は、その先頭に立つ。

世界の労働者・人民諸君！　米中冷戦下で高まる戦争勃発の危機をつき破る反戦闘争を、今こそ創造しよう！　米─中・露核戦力強化競争反対！

日本人民の闘いに包囲され、ガタガタの末期症状を呈している首相・安倍晋三は、なおも政権の座にしがみつきつつ、日本国憲法のネオ・ファシズム的改悪の機をうかがっている。だが、労組ナショナルセンター「連合」の指導部は、政労使協議に埋没し、安倍政権に反対する労働者の闘いの抑圧に狂奔している。日本共産党中央指導部は、「〔非常時の〕今は安倍政権打倒とは言わない」と公言さえしているのだ。こうした既成反対運動指導部の腐敗をのりこえ、われわれは、安倍政権への反撃を職場・学園から創造してきた。

わが全学連は、五月八日、新型コロナウイルス緊急事態宣言下の厳戒態勢をうちやぶり、「貧窮人民を見殺しにする安倍政権打倒！」を掲げて、首相官邸への緊急闘争に決起した。また六月十四日には、全学連と反戦青年委員会の労働者・学生は、首相官邸とアメリカ大使館にたいする戦闘的デモを敢行した。米中冷戦下の戦争勃発の危機を突破する革命的反戦闘争の火柱を赤々と燃えあがらせたのだ。

全世界の労働者・人民諸君！　われわれと共に、反戦闘争の大奔流をまきおこそう！　パンデミック恐慌下で犠牲を強制された世界の人民の怒りは、いやがうえにも高まっている。この怒りを階級的自覚へと高め、プロレタリア階級闘争の全世界的蘇生をかちとれ。今こそ労働者階級の国境をこえた団結を創造せよ！

香港国家安全維持法の制定・施行弾劾！

中国・習近平政権は二〇二〇年六月三十日に、「香港国家安全維持法」（以下「国安法」と略す）を制定し、その日の深夜にこれを施行した。「香港独立」を叫ぶ労働者・学生・人民を根こそぎに圧殺するために習近平を頭とするネオ・スターリン主義官僚政府は、「国家分裂・政府転覆・テロ・外国勢力との結託」の「犯罪」およびそれをたくらむ者を処罰する（最高刑は終身刑）と謳う国安法を施行したのだ。この法律の執行機関として中央政府＝党中央直轄の「国家安全維持公署」を香港に設置し、これに香港行政府を超える権限を与えた。特定の被疑者は中国本土に送還する（闇から闇への抹殺！）と国安法に明記した。まさしく香港の「一国二制度・高度な自治」を、習近平政権は完全に破壊したのである。

習近平政権は、「天滅中共」を叫ぶ「香港独立派」の若者たちを片っ端から逮捕し血祭りにあげながら、「一国二制度」の「二制度」の遵守を求める「民主派」（立法会の最大野党・民主党など）の重鎮たちをこの「独立派」の「黒幕」などと烙印して大弾圧にふみだしている。香港警察は「民主派」の指導者・活動家を大量に逮捕し、「デモ支持」を表明してきた商店や企業経営者を恫喝して回っている。過去の言動（デモ参加やＳＮＳへの書き込み）に遡っての処罰もありうると脅している。まさに中国国家と党への忠誠を誓うか・否か（国外に逃亡するか）の選択を、すべての香港人民に迫っているのである。ここに露わになっているのは、スターリン主義権力の残忍さ・反人民性にほかならない。

われわれ日本の反スターリン主義革命的左翼は、習近平政権による国安法の制定・施行と香港人民にたいする大弾圧を、満腔の怒りを込めて弾劾する。習近平指導部がむきだしにした強権性・犯罪性が、まさにスターリン主義の本性そのものであることを、われわれは全世界の労働者・人民に暴きだすのでなければならない。そして、わが反スターリン主義革命的左翼とともに習近平政権弾劾の闘いに起ちあがるべきことを呼びかける！

パンデミックに乗じた「一国二制度」の破壊

習近平指導部は、「五十年間は一国二制度を守る」という鄧小平の〝約束〟を、二十三年にして投げ捨てた。この政権は、新型コロナウイルスのパンデミックのもとでの経済的危機にあえぎ対中国輸出や中国からの投資の維持を必要としている帝国主義諸国の足もとを見て、香港「一国二制度・高度な自治」の破壊にふみきったのだ。

この「一国二制度」の破壊にたいして、アメリカ・トランプ政権が「関係当局者の制裁」を決定したいがいに、どの帝国主義諸国の政府も、対中国の制裁措置など実施していない。それぞれの国家的利益を優先する彼らは、世界最大の中国市場を捨てはしないのだ。「五十年間の一国二制度維持」を中英共同声明でとり交わした当事者たるイギリスのジョンソン政権も、国安法の制定を口先では非難しても、香港における金融的収益にしがみつき、香港ドル発券銀行たるイギリスの大手銀行が「国安法支持」を表明するのを黙認したのである。

弱よわしい制裁措置をとったアメリカ・トランプ政権との全面的対決に、習近平政権はふみだした。アメリカが武漢発新型コロナ感染の世界最悪の感染国に転落し、国際的権威を完全に失墜させていることに乗じて、習近平政権は、二十一世紀世界の〈覇者の座〉をアメリカから奪取する攻勢にふみだしているのである。

もとより香港・ウイグル・チベットにおける人民弾圧問題をとりあげて「中国共産党の全体主義的支配」を非難しているトランプ政権と米議会をば、習近平政権は、各地の「独立運動」を支援して「カラー革命」――ウクライナなどの旧ソ連圏における親米政権樹立のクーデタ――の中国版を画策し、もって中国の国家分裂を狙っていると非難してきた。彼らは「社会主義現代化強国」実現という国家戦略にのっとって、中国の「国家分裂」の阻止を最大の「核心的利益」と位置づけ、実際に各地の反中央政府の運動を「分離・独立運動」と烙印して徹底的に弾圧してきたのだ。新型コロナウイルス感染にアメリカがあえいでいる今を好機として、北京官僚政府は、「アメリカの手先」と烙印した香港の「独立派・民主派」を根絶する大弾圧にふみだしたのだ。「香港独立派・民主派はアメリカの手先、アメリカの国家分裂策動を阻止せよ」と吹きこんだ人民解放軍兵士や公安要員を、香港に大量に送りこみ、もって香港人民を暴力的に圧殺せんとしているのである。

〝二十一世紀の天安門事件〟を許すな！

われわれ日本の反スターリン主義革命的左翼は、北京ネオ・スターリニスト官僚政府の〝二十一世紀の天安門事件〟ともいうべき凶暴な人民弾圧を、腹の底からの怒りをもって弾劾する。自称「社会主義国」の政府＝党に反抗する人民が――たとえ香港の多くの人民が米欧的「自由と民主主義」への幻想を抱き・その実現を求めていたのだとしても――スターリニスト権力によって、またしても、無残に弾圧されていることにたいしてわれわれは、反スターリン主義者としての怒りと憤りを、いま新たにしている。歴史的犯罪を重ねるスターリン主義を打倒せよ！　そのための闘いに、香港の、中国本土の、そして全世界の労働者・人民が、わが日本の反スターリン主義革命的左翼とともに起ちあがるべきことを呼びかける。

わが日本の反スタ左翼は、習近平政権の香港人民弾圧を弾劾する闘いに何次にもわたって決起し、全国の学園・職場において、北京官僚を弾劾する闘いに起ちあがるべきことを学生・労働者・人民に呼びかけつつたたかっている。

そして香港人民に呼びかけてきた――一九五六年に勃発したハンガリー革命とその挫折いらい、自称「社会主義国」でいくたびか起こった勤労人民の反政府闘争とその敗北の教訓に学ぼう。とりわけ一九八九年天安門事件の血の教訓をかみしめよう、と。

「ソ連圏における第二革命の問題は……権力の問題であるだけではなく同時に組織問題なのであって、虚偽の前衛党としてのスターリン主義党を革命的に解体することを通じて真の労働者党を創造することが革命に勝利する実体的根拠なのである。」（黒田寛一「決起したポーランド労働者」『ソ連圏革命論ノート』こぶし書房刊、二三九頁）

香港の労働者・学生・人民は、「社会主義」の名において勤労人民を収奪し特権をむさぼる官僚どもが支配する現代中国のニセ社会主義・ニセ共産主義的本質を、すなわちスターリン主義的本質を自覚し、みずからが真にめざすべきものは何かを自覚せよ。そして非公然の組織（地下党）を創造する闘いに着手せよ。ネオ・スターリン主義官僚専制支配のもとで匍匐《ほふく》前進をつづける中国本土の労働者・人民との階級的連帯を築く闘いを開始せよ。スターリニズムの本質を自覚した共産主義者からなる真実の前衛党を建設する困難な闘いこそが、北京官僚政府の専制支配をうち破り・香港人民の〈未来〉をきりひらくただひとつの道なのだ。

日本の、そして全世界の労働者・学生・人民は、いまこそわが革命的左翼とともに、香港人民にたいする北京ネオ・スターリニスト権力の大弾圧を弾劾する闘いに起て！　〈反帝国主義・反スターリン主義〉の旗のもとに決起せよ！

（二〇二〇年七月五日）

反戦反安保、改憲阻止！ 貧窮人民見殺しの安倍政権を打倒せよ

すべてのたたかう労働者・全学連の学生諸君！

わが同盟はよびかける。来たる六月十四日、首都中枢における労働者・学生統一行動に、すべての職場・学園から総決起せよ！ ＜パンデミック恐慌＞下においていっさいの犠牲を労働者・人民に強制する安倍政権と独占資本家どもの攻撃を打ち砕く闘いに起て！ ＜米中冷戦＞下で高まる戦乱勃発の危機を突破する反戦闘争に決起せよ！

五月八日、全学連の白ヘル部隊は首相官邸前に断固として登場し、「貧窮人民見殺しの安倍政権打倒！」「憲法改悪阻止！ 安保粉砕！」の拳を安倍政権に叩きつけた。敵国家権力を震撼せしめたこの闘いに続け！ わが闘いに鼓舞された労働者・人民の怒りに包まれガタガタとなった安倍政権をさらに追撃し、いまこそ打ち倒せ！ 国会・首相官邸・アメリカ大使館を包囲する一大デモンストレーションに起ちあがろうではないか！

いま独占資本家どもは、「コロナ危機」を口実として、五月末に契約更新の期限を迎えた非正規の派遣労働者をはじめとする数多の労働者にたいして解

6・14闘争──首都中枢に全学連・反戦の「安倍政権打倒」の雄叫び

雇・雇い止めの攻撃をうちおろしている。職を失い今日・明日を生きることができない人民が日々うみだされている。

げんにいま労働者・人民が投げこまれているどん底というべき貧窮こそは、安倍政権が感染対策において無能・無策をさらけだし感染拡大を引き起こしたあげくに、最大二ヵ月近くにもわたり生活補償のない「外出自粛・休業要請」を強制してきたことのゆえにもたらされた以外のなにものでもない。まさにわが同盟が暴露してきたように、この二ヵ月間に安倍政権がとってきた「経済対策」なるものこそが、労働者・人民に困窮を強いてきたのである。労働者・人民を見殺しにし奈落に叩き落としながら、みずからの政権の延命をはかるために「〔感染対策における〕日本モデルの力を示した」(「緊急事態宣言解除」発表、二〇二〇年五月二十五日)などとほざいた安倍を断じて許すな！　この安倍の政権にたいする怒りの闘争を叩きつけよ！

安倍自民党政権は、「コロナ対策」としてうちだした「緊急事態宣言」と結びつけるかたちで憲法に

「緊急事態条項」を創設する必要性をがなりたてている。「コロナ危機」を利用した「緊急事態条項」の創設＝憲法改悪の攻撃を断固として打ち砕け！

重ねてわが同盟は訴える！　米・中の全面激突下で高まる戦争勃発の危機を突き破る反戦闘争を創造せよ！

いまトランプのアメリカは「世界最悪の感染国」となり・大恐慌以来の未曽有の経済的破局にあえいでいる。軍国主義帝国が断末魔を露わにしているいまこのときに、このアメリカを一挙に抜きさり、二十一世紀世界の「覇者」の座を奪い取ろうと動きだしたのが、ネオ・スターリン主義中国の習近平政権である。香港「一国二制度」を最後的に葬る「国家安全法」導入への突進を見よ。蔡英文の台湾をWHO(世界保健機関)から締めだすための数々の策謀を見よ。そして、この台湾をめぐるアメリカ帝国主義との軍事的激突に備え、南シナ海を完全に「中国の海」と化す攻勢を見よ。この習近平中国にたいしてトランプ政権は、中国がアメリカを追い抜くことをなんとしても阻止しようと、その軍事的・政治的・経済的の挑戦を打ち砕くことに血眼になっている。

こうした米・中両国の正面からの激突のゆえに、パンデミック下の現代世界において、いつ何時戦火が噴きあがるともしれない危機が日々高まっているのである。この世界的な大戦勃発の危機を突破する反戦の闘いに、全世界の労働者階級は今こそ起たねばならない。革命的・戦闘的労働者と学生は今ただちに起ちあがれ！

米・中の軍事的な角逐がかつてなく激化し急転回する東アジア情勢のもとで、辺野古新基地建設への突進、米製兵器大量購入など、トランプのアメリカとの日米新軍事同盟強化に狂奔しているのが日本の安倍政権にほかならない。日米の両帝国主義権力者にたいして、〈反安保〉の闘いの嵐をまきおこせ！すべての労働者・学生は決意もかたく6・14労働者・学生統一行動に起て！

今こそ革命的反戦闘争に起ちあがれ

全世界が新型コロナのパンデミックに見舞われているなかで、世界史的というべき帝国の没落をみずから決定的なものとしたトランプのアメリカと、このアメリカを「世界の覇者」の座から最後的に蹴落とし・一気に抜きさることを策して総攻勢にうってでている習近平の中国とが、政治・経済・軍事のあらゆる部面で激しく衝突している。

中国の習近平政権は、湖北省・武漢（ウイルス研究所）から新型コロナウイルスを全世界に蔓延させた。このことを必死に隠蔽しながら、習近平政権は、「世界の中華」として君臨するというみずからの世界戦略を実現するための諸策動に一気呵成にうってでているのだ。

感染が拡大するアジア、アフリカ、中南米、さらにはイタリア、セルビアなどの欧州諸国を含む一五〇以上の国々にたいして、習近平政権は、マスクなどの医療物資の提供および医療チームの派遣といった医療支援をおこなっている。「一帯一路」という名の経済圏構築を一挙におしすすめるために、みずからを「新型コロナと戦うリーダー」＝〝アメリカにとって代わる世界のリーダー〟などとおしだしながら、このかん経済的・政治的関係を強化してきた国々との国際的な連携の強化にのりだしているのである。

香港をめぐっては、二ヵ月半遅れで辛くも五月二十二～二十八日に開催された全国人民代表大会において習近平政権は、「国家安全法制と執行メカニズムにかんする決定」なるものを採択した。香港基本法「付属文書3」のなかに「国家安全法制」の規定を――香港立法会の頭越しに――書き入れるというかたちで、香港人民にたいして北京官僚政府とその直轄の暴力装置たる武装警察・中国軍が直接的に弾圧にのりだすことを傲然と宣言したのだ。

「香港独立」、さらには「天滅中共〔天は中国共産党を滅ぼす〕」のスローガンを掲げ香港人民がくりひろげてきた闘い。これに逆上した習近平政権は、〝コロナ対策〟を名分に「九人以上の集会を禁ず」という規則をタテとして、人民の抗議闘争を封じこめ、また香港警察をつき動かして凶暴な弾圧をうちおろしてきた。このネオ・スターリニスト権力者どもはいまや、「一国二制度」にもとづく「高度な自治」を最後的に奪いさり、彼らが「国家分裂策動」と烙印した香港人民の闘いを根絶やしにする策動に、全体重をかけてのりだしたのである。

これにたいして、トランプ政権は、「もはや香港は一国二制度となった」と断定し、中国権力者を「香港の自由を押えこんでいる」と非難した。そして、アメリカの歴代政権がとってきた貿易やビザ発給にかんする香港への「優遇措置」の撤廃に踏みだした。

まさに香港への「国家安全法制」導入をめぐって、米—中は激しく衝突している。さらにこの香港が導火線となって、習近平政権が「一国二制度のもとでの統合」を謳ってきた台湾をめぐる米—中の激突が、いまや熾烈を極めているのだ。

そのことを象徴的に示したのが、WHO総会（五月十八〜十九日）における「台湾の参加資格」をめぐっての米—中の角逐であった。「中国に操られたWHOを改革せよ」と叫びながら、ここ数年オブザーバーとしてさえWHO参加を認められていない台湾の参加を強硬に主張したトランプ政権。これにたいして習近平政権は、「ウイルス発生源問題の政治問題化反対」「WHOへの攻撃反対」とともに「台湾のオブザーバー参加阻止」を一致点として新興諸国・途上諸国を束ねあげ、トランプの前に真っ向から立ちはだかった。台湾の参加はならず、みずからの「改革」要求がはね返されたトランプは、ついに「アメリカのWHOからの脱退」を宣言した。

いまや台湾人民は、中国権力者が香港においてついに「一国二制度」を最後的になきものにする法制度・治安部隊の出先機関の設置に踏みだしたことを眼前にして、今日の香港の姿に「明日の台湾」を重ねあわせているがゆえに、「台湾独立」への気運をいよいよ高めないわけにはいかない（いまやこの台湾への香港からの移住が加速度的に増加しているという）。「一つの中国」を拒絶する総統・蔡英文のもとで、台湾が「独立」へと向かうことをなんとしても阻止するという習近平中国の国家意志は、台湾の「WHOオブザーバー参加」を阻止し・WHOから締めだす策動に血道をあげたことのなかにはっきりと示された。

まさに香港・台湾問題をめぐり政治的に激しく衝

突する米・中は、台湾周辺の東シナ海、南シナ海、そして西太平洋を焦点として軍事的にも角逐を激化させている。

習近平政権は台湾をめぐる来たるべき軍事衝突に勝ちぬくための策動に拍車をかけている。すなわち、米軍の四つの空母打撃部隊が兵士の感染によって機能麻痺に陥っているその隙をついて、習近平政権は、南シナ海の島嶼部を「特別行政区」に指定したり、中国軍の空母「遼寧」を南シナ海および西太平洋に遊弋《ゆうよく》させたりしている。さらに、いわゆる「第二列島線」より西側の海域・空域における米軍の空母機動部隊や戦略爆撃機の動きを封じるために、「空母キラー」や「グアムキラー」と呼ばれる中距離弾道ミサイルを大量に配備してもいる。これにたいしてトランプ政権は、米軍艦船を頻繁に南シナ海に派遣し「航行の自由作戦」を連続的に実施している。そして、アメリカの核戦力の強化や、唯一の「属国」日本への中距離核ミサイルの配備などに突き進もうとしている。こうしていま、台湾海峡および南シナ海を焦点とする米・中の戦乱勃発の危機が高まっているのである。

まさに香港と台湾を焦点とする中国の一大攻勢に直面しているトランプのアメリカ。このアメリカ帝国主義は、新型コロナ・パンデミックと経済的破局の進行のもとでかつてないまでの凋落を露わにしている。

いまアメリカでは、トランプ政権がもたらした新型コロナウイルスの感染の爆発的拡大によって、一〇万人を超える夥しい労働者・人民が死に追いやられている。この新型コロナウイルスの蔓延によって、アメリカ社会に横行する「人種差別」と貧富の〝格差〟のいっそうの拡大（アメリカ社会の階級分裂の深刻化）、そのむごたらしい現実がまざまざと示されたのだ。新型コロナウイルス感染による黒人の死者数は、人口比で白人の約二・四倍にものぼる。そして、アメリカにおいて感染が本格的に拡大しはじめた三月中旬以降、実に約四二六〇万人もの人民が失業保険を申請し、同じ時期に一〇〇億ドル以上の資産を有する者たちは、ＦＲＢ（連邦準備制度理事会）による金融緩和策によって株価がつり上げられ、資産を約二割も増やしたという。

こうした「人種差別」や〝格差〟の拡大にたいして、黒人をはじめとする労働者・勤労人民は、全米で怒りを爆発させている。アメリカ全土に広がった労働者・人民の抗議デモにたいして、トランプ政権は、狂乱的な弾圧をうちおろしている。あまつさえ、圧殺部隊として米連邦軍をさしむけようとさえしたのが、トランプなのだ。このトランプ政権を、われわれは、断固として弾劾するのでなければならない。

全米で燃えさかる労働者・人民の「人種差別」や貧困の強制への怒りに包囲され、もはや大統領選での敗勢は濃厚になっている。追いつめられれば追いつめられるほど、大統領選での敗北をなんとしても回避するために、トランプはより強硬な対中対抗策にうってでかねないのであって、それは米・中の戦乱勃発の危機をますます高めるものにほかならないのだ。

新型コロナのパンデミックと経済破局が相乗して進行する未曽有の危機にある現代世界は、世界の「覇権」をアメリカからもぎとるための策動に一挙にうってでたネオ・スターリン主義中国と、これをなんとしても阻み・いまのうちに中国を叩きのめさんと躍起となっている没落帝国アメリカとが全面的に対決する米中冷戦構造を露わにしているのである。この米・中両国は、相互対抗的に核戦力の飛躍的な増強をおしすすめつつ、南シナ海・台湾海峡をはじめとした東アジアを舞台として、さらには宇宙空間・サイバー空間をも舞台として角逐を激烈化させているのであって、一触即発の危機を高めているのだ。米・中による世界的な大戦の勃発の危機が高まる今こそ、われわれは、〈米中冷戦〉下の戦乱勃発の危機を突破する革命的反戦闘争を断固として創造するのでなければならない。

人民を貧窮の奈落に突き落とす安倍政権を打倒せよ！

「緊急事態宣言」の解除から二週間を経た今日、安倍政権と資本家どもによって日々多くの労働者・学生・人民が生活困窮に叩きこまれている。

＜パンデミック恐慌＞のもとで、自動車をはじめとする製造業の独占資本家どもは、数多の労働者に一時帰休や賃下げ・首切りの攻撃をかけている。独占ブルジョアジーはみずからの生き残りのために、一切の犠牲を労働者に転嫁しているのだ。

そして、こうした製造業独占体の下請けの中小・零細企業、さらには観光業や飲食業などの諸企業の経営者も、労働者にたいして、解雇、雇い止めの攻撃を次々と振り下ろしているのだ。

資本家による解雇攻撃によって失業した多くの労働者が、生活困窮者を支援する労働組合やＮＰＯ（非営利組織）、そして自治体の生活保護申請の窓口に殺到している。総務省の発表でさえ、四月に企業から「休業」を強いられた労働者は約六〇〇万人、失業した非正規雇用労働者は約一〇〇万人にのぼる。このうえ、五月末の契約更新時に多くの非正規労働者が、経営者によって「雇い止め」を通告された。

まさにこれこそは、安倍政権の貧窮人民見殺しの経済対策がもたらした犯罪以外のなにものでもない。たった一度きりの一〇万円の給付なるものは、貧窮に追いやられた人民にとっては数日で消えさってしまうものでしかなく、しかもその給付は「緊急事態宣言」が解除されたいまもなお、ほとんどの人民にゆきわたってはいないのである（関東の主要市区の特別給付金の支給率は五月末の時点でわずか二・七％！」。安倍政権の棄民政策を断じて許してはならない。

困窮する労働者・人民を見殺しにする他方で、安倍政権は、「経済対策」として大企業の支援には一三〇兆円もの多額の「資金繰り支援」などをうちだしている。「日本経済のＶ字回復」と称しての大企業・独占資本の救済にこそ狂奔しているのが、安倍政権なのだ。

政府・経済産業省が「持続化給付金」にかんして、「業務委託費」に計上した七六九億円のうち、電通やパソナといった安倍自民党とつながりの深い企業が設立した〝ダミー会社〟に二〇億円が〝中抜き〟され、かつこのダミー会社から「再委託」された電通本社が子会社に「外注」する際に一〇四億円もピンハネしていたことが明らかとなった。実に総計一二四億円もの巨額の血税が、困窮する人民のためには使われることなく、電通やパソナに流れこんでいたのだ。「自営業者支援」「中小企業支援」の名を冠した給付金業務をも〝お友達企業〟の食い物にする安倍自民党政権を断じて許すな！

安倍政権に支えられた資本家どもが、一切の犠牲を労働者に転嫁している今こそ、すべての労働者は団結してこれをはね返し、労働組合を主体にして断固たる反撃にうってでようではないか！

「首切り・雇い止め・賃金切り下げ反対！」「独占資本救済に血道をあげ人民を困窮に突き落とす安倍政権弾劾！」の闘いをつくりだそう！

政府・文部科学省は、「学生支援緊急給付金」なるものを支給することを明らかにした。それは、全学連を先頭とする全国の学生たちの「困窮学生の切り捨て弾劾！」の怒りの爆発に直撃されてうちだしたものにほかならない。だがそれは、生活苦に陥っている学生の生活を補償するものではなんらない。様ざまな条件をつけて対象者を十人に一人にまで絞るというものであり、多くの困窮学生を切り捨てるものなのだ。

全国の学生は全学連のたたかう仲間と腕を組んで、安倍政権にたいして困窮する学生への直接支援と学費無償化を要求して、断固としてたたかおうではないか！

改憲阻止！ 緊急事態条項の創設反対！ 反戦反安保闘争の爆発をかちとれ！

安倍政権・自民党は、憲法審査会において、「感染対策」として発した「緊急事態宣言」と自民党改憲案の「緊急事態条項」を結びつけて、その必要性をがなりたてている。新型コロナのパンデミックという画歴史的な危機を利用して、憲法大改悪への道をきりひらこうとしているのだ。首相に強権を与え、労働者・人民の「集会・結社の自由」などの諸権利を奪いさることを企んでいるのである。「感染対策」をおしだしながら様ざまな集会規制をも実施しようとしているのが安倍政権（および各自治体当局）なのだ。

今こそ日本の労働者・学生・人民は団結し、こうした安倍ネオ・ファシスト政権の悪辣な策動を打ち砕くのでなければならない。われわれは、〈日本型ネオ・ファシズム支配体制の強化反対〉の旗幟を鮮明にし、「緊急事態条項」の創設に断固反対しようではないか。

われわれは、「戦争放棄・戦力不保持」を謳った憲法第九条を安倍政権が破棄しようとしていることにも反対するのでなければならない。

改憲のための国民投票法の改定を絶対に阻止せよ！

安倍政権は、沖縄県当局にたいして、大浦湾を埋めたてるための設計変更の申請を強行した。沖縄の困窮する労働者・人民の苦しみなどまったく意に介することなく、巨費（労働者・人民からむしりとった血税だ）を注ぎこんで辺野古新基地建設を続行しているのだ。辺野古への米海兵隊新基地建設を阻止せよ！　日本への中距離ミサイルの配備反対！

「反安保」を放棄する日共系の平和運動をのりこえ、〈日米新軍事同盟の強化反対〉の旗高くたたかおう！

安倍政権の反人民性がこのうえなく露わになっている今日このときに、日共の不破＝志位指導部は、「安倍さんから一本とるよりもプッシュする姿勢でやっていくことが大事」、「私たちはいまの国会論議では『安倍政権打倒』とはいっていません」などとおしだしている。安倍政権がうちだした第二次補正予算案についても、「世論の力で支援拡充」などともちあげているありさまだ。「安倍政権打倒」の旗をみずからおろし、安倍政権を免罪し延命に手を貸す代々木官僚を満腔の怒りを込めて弾劾せよ！

安倍子飼いの東京高検検事長・黒川弘務を次期検事総長に就けるために安倍政権が企んだ検察庁法の改定は、全学連を先頭とする労働者・人民の闘いによって粉砕された。いまや安倍政権は、労働者・人民の怒りに包まれガタガタとなっている。断末魔の安倍政権をさらに追撃せよ！

すべての労働者・学生・人民は、貧窮人民を見殺しにし憲法改悪に突進する安倍政権を打倒せよ！

（二〇二〇年六月八日）

〈特集〉新型コロナ感染拡大　労働現場からの報告

医療現場から安倍政権に怒りの声を！

大山麻子

〝コロナ病棟〟の過酷な日々

いま、私の働いている病棟では、三週間ほど前から新型コロナウイルスに感染した「中等症」患者を受け入れている。にわか仕立ての〝コロナ病棟〟のなかで、不完全な防護具を身につけて、疲労困憊の毎日がつづいている。休日も次の勤務にそなえて体をやすめるだけ。自分が感染しているかもしれないと思うと、人に会うこともできない。生活全部が一変してしまった。

防護具は本当に足りない。まずN95マスク。配られた着脱方法のマニュアルは、カラー写真つきで、取り外したらすぐ廃棄することとなっている。しかし私の職場では、N95マスクを破損するまで使用するように指示された。フェイスシールドも毎回自分で消毒して再利用する。ガウンはあるが、いつまでもつのかわからない。事務室にはガウンが無くなった場合の代用品の雨合羽がつまれているらしい。

仕事のきつさは想像以上だ。N95マスクは息苦しいうえに、気密性の高いガウンを着ていると発汗し、体力の消耗が激しい。「中等症」の患者といっても、いつ急変して重症化するかわからない。症状の変化は本当に激しく、患者から目が離せない。高熱で譫《せん》妄《もう》状態の人もいる。全介助の必要な高齢患者も入院してきた。その人は耳も遠いので、ゴホゴホと咳をしている耳元に顔を近づけて、大きな声を出さなければならない。点滴の交換や、清拭、たんの吸引、体位変換——、普通の病棟ならあたりまえにやっているどの処置をおこなうときも、飛散するウイルスに感染するリスクが高いので、極度の緊張を強いられる。それに慎重にやらなければならないぶん、とても時間がかかる。

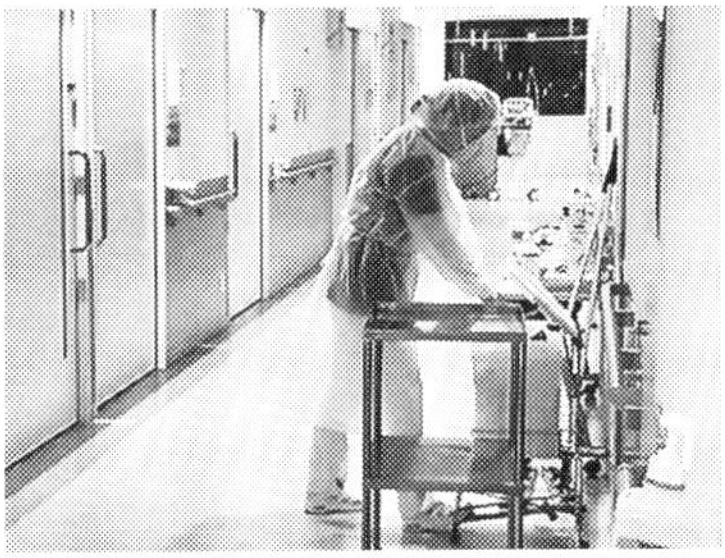
防護具を着用して看護の準備をする看護師

　動線も複雑で神経を使う。「レッドゾーン（ハイリスクゾーン）」と「グリーンゾーン（安全ゾーン）」を行き来するたびに着替えるのが大変だ。しかも、基本手順を無視して防護具を使い回しているのでよけいに大変だ。本当に頭にくる！病室の床や壁、トイレ、浴室の清掃も、業者にやってもらえないので、看護師の仕事だ。N95マスクをつけ、ガウンを着ての清掃作業は、汗びっしょりとなる重労働だ。病院当局もプラスアルファの人員はつけたが、それではとても足りない。

　感染対策のために病室への入室時間を制限しなければならず、高齢の患者さんにも最低限のケアしかできないことも、看護師としてはつらい。こういうケアをすればもっと状態が改善するとわかっているのに、それができないのがもどかしいのだ。

　何よりつらいのは夜勤だ。急変は夜間帯に起きることが多いから、とにかく緊張する。患者も夜間帯は特に不安が強く、ナースコールをひんぱんに鳴らす人も多い。呼ばれて病室（レッドゾーン）に出入りするたびに着替えをしなければならない。感染防御には一瞬たりとも気を抜くことができないが、十六時間（仮眠時間はほとんどとれない）の夜勤の間、ずっと集中力を持続させるのは本当に難しい。緊張しっぱなしの長時間夜勤がやっと終わると、頭痛がひどく、口もきけないほどぐったりしてしまう。

医療体制強化のサボタージュは許せない

二〇二〇年五月四日、首相・安倍晋三は緊急事態宣言の延長を発表した。「医療現場の過酷な状況を改善するために」延長が必要、などと言っている。ふざけるな！　その「過酷な状況」をつくりだしているのはいったい誰だ！　お前じゃないか！

〝コロナ病棟〟で働く看護師や医師の最大のストレスは、感染の恐怖だ。自分が感染するのが怖い、というだけではない。自分が感染源となって、家族を感染させたり、病院内の別の医療従事者や患者に感染させて、院内感染を引き起こすのが怖いのだ。そのためにみんな神経をすり減らしている。

私たち看護師は感染防御のためには、標準的な防護具を正しい手順で着脱して、そのつど廃棄するように教わり、訓練もされてきた。それなのに、いまは毎日毎日ウイルスに汚染された防護具を自分で消毒して使いまわすのだ。これじゃあ感染しろっていうようなもんじゃないか！　自分が感染しているかどうかわからないのも不安だ。定期的にＰＣＲ検査（ウイルス遺伝子検査）を受けさせてもらえるならば、それだけでも気持ちはずいぶん楽になる。しかしＰＣＲ検査を自前でできる大病院以外は、それもやってもらえない。

日本国内で最初の感染者が確認されてから三ヵ月以上。安倍政権は感染封じ込めに失敗しただけでなく、防護具をすべての病院に十分にいきわたらせることやＰＣＲ検査体制を拡充することをサボタージュし、医療現場の過酷な状況を放置してきた。補正予算でも、景気回復のための「Ｇｏ Ｔｏ キャンペーン」に一・七兆円、医療体制強化の予算はたったの一四九〇億円。ＰＣＲ検査拡充のための予算は一円も組まれていない。

何より頭にくるのは、安倍政権が「地域医療構想」＝急性期病床のダウンサイジングをあくまで推進しようとしていることだ。二〇二〇年度の本予算には「地域医療構想」推進のための費用として六四四億円も計上されている。「コロナ危機」に直面し、集中治療室をはじめとする急性期病床の不足がつきつけられているいまこのときにおいても、厚生労働相・加藤勝信は国会答弁で「コロナは別、〔地域医療構想は〕予定通り進める」と言い放った。安倍政権は私たち医療労働者をこき使うだけこき使い、新型コロナウイルス感染症の蔓延が終息すれば予定通り急性期のベッドを減らして、医師も看護師もさらに減らそうとたくらんでいるのだ。本当に許せない。

職場から「反安倍政権」のうねりを！

たたかう仲間たちの奮闘により、私が働いている病院の労働組合は、少しでもこの過酷な状況を改善させようと組合員から集めた声をまとめあげ、病院当局に要求した。十分な防護具と安全を守れる人員を確保すること、〝コロナ病棟〟への配置にあたっては、看護師ひとりひとりの事情を丁寧に聞き、決して強制はしないことなど。また、医療労働者が感染しても「自己責任」には絶対にしないこと。これは看護師にとって一番切実な要求だ。病院当局のなかには、看護師が感染したことについて、病院の感染対策に問題はないと、あたかも感染したのは本人の責任であるかのように発表するところもある。このような発表に、多くの看護労働者が怒っている。

そんななか、今年は新人の看護師のほとんどが労働組合に加入した。労働者を守るのは労働組合しかないという力強い切実な訴えが、新人に共感をもって受けとめられたのだと思う。

いま病院で働く多くの医療労働者たちが安倍政権にたいする怒りをたぎらせている。日々、身を削られるようなこの過酷な現実に私たちをたたきこんでいる元凶は安倍なんだという組合の訴えが、組合員たちのなかに共感を呼びおこしている。私は、今だからこそ労働組合の団結をさらに強くし、「反安倍政権」のうねりを職場からつくりだしていきたい。

医療現場から安倍政権にたいする怒りの声を広げるためにがんばるぞ！

〈特集〉新型コロナ感染拡大　労働現場からの報告

病院職場から労働組合運動を創造しよう

流　星子

新型コロナウイルス肺炎の治療を中心的に担っているのが、全国の公立・公的病院だ。そこで働く医療労働者は、防護服も医療用マスクも不足する悪条件下で、みずからも感染する不安をかかえながら働いている。治療方法も治療薬も確立していない感染症の患者の治療・看護に、体力も神経も極限まですり減らしながら従事しているのだ。

首相・安倍晋三の、口先だけの「医療従事者への感謝」の言葉に、現場の労働者たちは「感染症病床を減らしたのは誰だ！」「こんなときにも公立・公的病院を計画通り削減すると言ってるのに、ふざけるな！」と怒りの声をあげている。安倍政権による〝医療破壊〟を許すな！　医療労働者への犠牲転嫁を許すな！　公立・公的病院の独立行政法人化・民営化を阻止しよう！　いま私たち革命的・戦闘的医療労働者は、『解放』を学習しながら、職場から、労組の団結を強化し、〈反安倍政権〉の闘いを強化している。

労組の要求を練りあげる――ある組合で

Ａ　全国の病院で医療物資が不足しているけど、私たちの職場は大丈夫？

B　感染症病棟の友人が、消毒液や防護服が不足してると心配してたわ。
A　やっぱりどこも同じなんだ。なんとかしなきゃ。
C　新型コロナウイルスに感染した患者の入院は初めてのことなので大変だと思うよ。防護服を着るとトイレにも行けないから、水分を摂るのもがまんしてヘトヘトになるんだ。早急に職場で困っていることを皆からあげてもらおう。感染症病棟の組合役員と近々会えないかな。
D　感染症病棟の人たちは、感染症を拡げないようにと配慮して、自宅と職場を往復する以外は引きこもり状態だそうですよ。
A　それは、心配ね。職場と家の往復だけの生活では、孤立して精神的にもまいっちゃうよね。
C　では、感染症病棟の組合員たちに直接会って話を聞いて現場の状態を共有するのは無理か。
B　じゃ、メールでやりとりしましょう。職場の声を労働組合の要求としてつくっていこう。
D　賛成！　どこの職場でも共通することがあるわよ。皆感染の不安をかかえているわ。「濃厚接触者の可能性あり」と認定されたら、即「自宅待機」ですよ。私も熱はないのにのどが痛くてヒヤリとしたことがあったわ。
C　僕もそう。みんな不安だよね。自分がウイルスに感染したり、媒介したりしないかと心配だよ。
B　家族に感染させないようにと、自分でアパートを借りて一人暮らしをはじめたり、車中泊や病院で寝泊まりしている人もいますよ。
D　病院当局の責任でそういう人たちの宿泊所を用意しないなんて、ひどいよね。労働者個々人に負担させる問題じゃないよね。
C　張りつめた緊張と不安の連続——コロナの患者さんに接する労働者のストレスも深刻な問題だ。「組合員にたいするメンタルヘルスケアの実施」も病院当局に要求していこう。
A　そう。それに加えて当局にたいして、医療器具不足の問題や、劣悪な労働条件の改善、危険手当の支給など、医療労働者としての切実な声を組合の要求として出していきましょうよ。

C　労組全体の要求になるように、要求書づくりを、うちの支部だけでなく全支部に働きかけていこう。

「専門職としての貢献」を指導する日共系役員

A　役員会での討議はどうでしたか？

D　本部の役員（「全労連」系）には組合員からの要求にたいして「そんなこと無理」なんて、上から目線で言う人もいるのよ。若い役員なんかは「本部はまるで当局みたいなこと言っている」と批判していたわ。

B　組合員が現場でどんな危機感を抱いて働いているのか、耳を傾けようとしないのよ。

C　彼らは経営者の〝ふところ具合〟をみて要求を考えるので、病院経営の赤字ばかりを心配して当局と変わらないようなことを言うんだ。「地域医療を守れ」の一点だけで労使は共同できるというので経営者と懇談ばかりしているからだよ。

A　とにかく組合員全員が疲弊している。いつ感染者が出てもおかしくない。全国各地の病院でも院内感染が出ているから。

C　もし感染しても、当局からその労働者個人の問題にされないように組合ががんばらないとだめだ。

D　ところが、「専門職が感染したら恥ずかしい」と言うのが当局者ばかりでなく、労組役員でそんな風に言う人までいるのよ。

C　ひどいな！　労組の役員からも「専門職としての能力を最大限発揮せよ」と言われたら、看護師はみんな責任感が強いから一人でかかえこんでしまう。彼らや彼女たちが悩みを誰にも相談できずメンタル疾患になることのないようにしよう。

B　そうよ！　労組役員が専門職意識をあおるとは、何やってんのよ！　組合員が団結して当局に要求をつきつけることが重要なのに。労働組合の闘いこそが組合員の仕事上の安心・安全にもつながるわ。

D　いまこそ医療労働者が団結することが大事だわ。

安倍政権による労働者への犠牲強制を許すな
――戦闘的労働者の論議と決意

A　それでは私たちの組合運動への取り組みの指針を深めるために、学習をしましょう。

B　期待して来たんですよ！

A　『解放』第二六一六号に安倍政権の対応の反労働者性が暴露されています。

B　「安倍政権の給付金なるもののインチキ性・反人民性はきわだっている」その通りだわ！

D　ひどい！「安倍の頭を占めているのはただ一点『ポストコロナの日本経済のV字回復』だけ」なんだ。「緊急経済対策」は独占体を救済するためのものなんだ。

B　何これ！　今日を生きられない人が大勢いるのに「ポストコロナ」なんて言ってる場合じゃないでしょ！　解雇されて生活苦に突き落とされた労働者を安倍政権は切り捨ててるんだ！　クビを切られた人はどうなるの。心が痛い……。

D　前号〔第二六一五号〕に、「日本の感染症病棟は九七〇〇床から二〇〇〇床に減らされた」と書いてあったわ。集中治療室（ICU）病床の数もイタリアの半分以下よ！

C　僕たちの職場も感染症の病床は少ないよね。自民党政権がうちだした「病院改革ガイドライン」によって減らされたんだ。

B　エーッ、なぜ感染症病棟ってそんなに減らされたの!?

C　感染症病棟の多くは国公立病院にあったのだけれど、歴代自民党政権が公立病院をドンドン民営化したり統廃合してきたんだ。しかも公立病院の民営化・廃止にたいして立ち向かうべき労組指導部が、政府・自治体・病院当局がたれ流す「病院財政の赤字」キャンペーンに屈服した。自治労本部は〝地域の公共サービスが維持できるなら民でも良い〟と民営化を容認してしまったんだ。

A　自治労連本部の共産党系指導部も、「地域住民（保守層）との共同」ばかり追い求めて、労組を主体として職場から民営化反対の闘いをつくりだすことを放棄してきたのよ。

B　こういう反対運動をつくりかえないとだめね。よーし！　皆で頑張りましょう！

A　革マル派は全世界の労働者に、「〈パンデミック恐慌〉下での労働者人民への犠牲強制を許すな！」と呼びかけているわ。

B　ズシリとくる重い呼びかけですね。私たちが切りひらかないとできない闘いですね。

C　アメリカ製兵器の爆買いなど軍事費増大に狂奔する安倍政権を弾劾せよ！　医療・介護・福祉など社会保障費の大幅削減反対！　労働者に犠牲を強要し反人民性をむきだしにする安倍政権を打倒するために、いまこそ職場から労働者の団結した闘いをつくりだそう！　全国の労働者・学生・人民と団結し、全世界の医療労働者とも連帯してたたかおう！

ABD　がんばろう！

人民を愚弄する「維新」吉村・松井

――大阪で強権的な病院再編――

村吉怒子

安倍政権の新型コロナ対策が労働者・人民の批判を浴びる一方、「維新」の吉村洋文大阪府知事や松井一郎大阪市長がリーダーシップをとって対応しているとマスコミによって宣伝されています。しかし、その実態はどうでしょうか？　大阪の医療現場から告発したいと思います。

十三市民病院を丸ごと「コロナ専門病院」に再編

　「維新」の松井市長は、いち早く大阪市立十三《じゅうそう》市民病院（二六三床）を丸ごとコロナ感染症中等症患者用の専門病院とすることをトップダウンで決定しました。拠点病院として地域医療や産科も担ってきた重要な病院であるにもかかわらず、職員にも患者にも知らせずに突如発表したのです（二〇二〇年四月十四日）。これは、新型コロナ感染者に対応する感染症専門病床の決定的不足が騒がれているなかで、全国でも例がないコロナ対策専門病院をつくるという――〝スピード感をもって対処する「維新」首長〟を印象づけるための――パフォーマンスです。

新型コロナ専門病院に再編された十三市民病院

　松井市当局がやったことは、極めて強権的なものでした。外来も手術室もただちに閉鎖。入院患者は四月中に転院を迫られ、病院での出産が決まっていた妊婦も他の病院を自分で探せと通告されたのです。「こんな時期に他の病院を探せと言われても……」と多くの患者が不安ななか、病院を追われました。

　また現場の看護師たちは経験も訓練もなく、突然酸素吸入を必要とする新型コロナの患者ばかりを看護する業務につくよう告げられました。不安と不信を募らせる看護師にたいして、「嫌なら辞めてもらったらいい」と言い放ったのが、松井なのです。

　〝突貫工事〟で防護服を着脱するスペースを作ったり、危険区域と安全区域を分ける仕切り壁を作ったりしました。それだけでなく、約一五〇人の入院患者を四月中に転院させ、十一月までに出産予定の妊婦約二八〇人に別病院を紹介してキャンセルしました。

　この十三病院には感染症の専門医がいないので大阪市立大学病院から専門医を派遣し、急きょ医師・看護師への感染症対策研修をおこなって、五月一日には、コロナ専門病院として稼動開始、十六日に十一人の中等症患者を入院させました。

　医療器具の洗浄、寝具などの洗濯、院内清掃、さらに事務や警備などの医療行為以外の仕事はすべて委託業者におこなわせているのですが、この裏方業務ともいうべきスタッフの人たちには、何一つ感染症対策の研修もしていません。（四月後半に院内の警備員が新型コロナに感染するという事態が発生したといいます。）しかも、医師、看護師は一日四〇〇〇円の危険手当を支給されているのに、業務委託で働く労働者には支給されていないのです。

松井市長は、こうした強引な転換をおこない、「維新」首長が新型コロナ感染対策を、安倍政権よりも他の自治体首長よりも、〝迅速にやっている〟とおしだしているのです――吉村知事が「兵庫県との往来自粛」を訴えたり、緊急事態宣言の解除のための「大阪モデル」を提示したりしていることに呼応して――。彼ら「維新」は、今秋に控えた「大阪都構想」をめぐる二度目の住民投票で、今度こそ都構想を承認させようと企んでいるのです。

医療体制を縮小・削減してきた「維新」首長

そもそも、「維新」は橋下市政のときに「府・市二重行政の無駄」などと称して、市立病院の統廃合を強引におしすすめてきました。五つあった市立病院のうち、北市民病院を二〇一〇年に閉鎖、二〇一八年には住吉市民病院を廃止して住吉母子医療センター（府と市の共同運営）に統合しました。その次に〝赤字病院〟と名指しされていたのが十三市民病院だったのです。大阪市立十三市民病院と名のっていても、とっくに地方独立行政法人化しています（大阪市設立の地方独立行政法人大阪市民病院機構の傘下病院）。採算がとれなければ廃止する対象にされていたのです。それを、コロナ対策専門病院に衣替えして、〝人気とり〟に活用したのです。患者や職員のことを省みない手法。御都合主義！　人民愚弄にもほどがあります。

医療・福祉体制を徹底的に削減し、感染症に対応できないほどにまで壊してきた自分たちの犯罪性をおし隠し、新型コロナ感染対策をもっとも十全かつ迅速にやっているかのようにおしだす「維新」首長の欺瞞性。私たちは決して許すことはできません！

保健所労働者に犠牲を強制する安倍政権

山高　望

二〇二〇年四月十一日、東京都において、単身赴任中の五十歳代の男性が社員寮で死亡しているのが発見された。この男性は一週間以上前から地域の保健所の「帰国者・接触者相談センター」に複数回電話をかけ続けたがつながらず、二日前にようやくPCR検査(ウイルス遺伝子検査)を受けて、その結果を待つあいだに亡くなった。新型コロナウイルスによる肺炎が死因であった。この悲劇は、安倍政権による新型コロナウイルス感染症対策が徹頭徹尾デタラメであることを満天下に暴露したのだ。

だが首相・安倍晋三は、PCR検査は「主治医の判断」で受けられる、問題は「人的な目詰まり」にある(五月四日の記者会見)と、保健所職員に責任をなすりつけた。ふざけるな！　若者や持病のない人でも重症化することがわかった後にも、「三七度五分以上の発熱が四日以上持続」の者などに受付対象をしぼりこんだ通達(二月十七日)を変えようともしなかったのは政府・厚生労働省だ。政府・厚労省は、あくまでもこの通達にのっとって業務をすすめることを保健所職員に指示・命令してきたではないか。

保健所の労働者は、少ない人員で膨大な件数の電話に対応している。しかも電話は、深刻な病状の人やただ不安に駆りたてられてかけてくる人などさまざまな人たちからのものであり、病状や接触感染の状況をしっかり聞かなければ生死に直結する判断はできない。機械的には対応できない相談内容であるがゆえに、一件の電話に長い時間を要するのである。保健師は、職務中は住民の生死を背負っているという緊張感で電話に対応し、退勤後も「相談してきた人はどうなったろうか」とか「自分の判断は正しかったのか」とかと、電話が頭から離れないという。連日深夜にまでおよぶ長時間の労働と心身への大きな負担も加わり、不眠症に陥っている保健師も少なくない。

膨大な電話相談への対応に追われる保健所の労働者

　しかも保健所職員は、「帰国者・接触者相談センター」での相談業務に対応するだけではない。「帰国者・接触者外来」への受診調整・相談、検体の搬入、感染（疑い）者の経過観察、積極的疫学調査（感染経路）、濃厚接触者の調査等々の業務を保健所職員総出でとりくんでいる。今日、保健所では保健師をはじめ職員の誰が倒れてもおかしくない極限状態が続いている。保健所機能はパンク状態に瀕しているのだ。

　にもかかわらず政府・厚労省は、具体性のない、現場からうきあがった観念的な内実の通達をたれ流すことをしかやらない。まさに昔から言われてきた「ああせい、こうせい、厚生省」の姿そのままを示しているのが政府・厚労省ではないか！「帰国者・接触者相談センターを外部委託せよ」とか、「元保健所職員の雇用」「非常勤職員の活用」をしろとか、「全庁的な対策を講じろ」とかというように。「不要不急の業務を精査して新型コロナウイルス感染症への体制をつくれ」というが、すでに乳幼児の検診をはじめとして、通常事業をすべて先延ばししているのだ。自治体では保健師の資格をもつ職員、保育園に配属された者をもすべて招集して体制をつくっている。しかし、「体制をつくる」ための人員は足りない、予算はださない、研修もなにもやっていない。厚労省はすべてを保健所の現場に丸投げしているのだ。厚労省は通達のなかでくりかえす――「遅滞なき支援」をする、と。だが、その「支援」の内容についてはいっさい明らかにしない。あまりにも第三者然とした指示に現場労働者の怒りは渦巻いている。

「行革」で保健所半減、防疫体制縮小

そもそも保健所は、公衆衛生行政の第一線機関として人口一〇万人に一ヵ所という国の基準のもとに、一九九三年には全国八四八ヵ所に設置されていた。しかし一九九四年以降、この保健所を政府・厚労省は、いわゆる「行政改革」の一環として、保健所法を地域保健法に改定し、この地域保健法にもとづいて、従来の保健所の機能を二つに分化した。広域・専門的かつ技術的拠点と位置づけた保健所と、保健と福祉の統合を旗印とした「住民に身近な保健・福祉サービスを一元的に実施する」市町村保健福祉センターというように。その結果、保健所はいまや四六九ヵ所にまで激減させられてきたのだ。結核をはじめとした伝染病などは「制圧した」として、保健所の一部門である感染症領域の公衆衛生部門は「無駄」と烙印し、縮小につぐ縮小を重ねて現在にいたっている。一つの保健所に配置されている保健師も衛生検査技師もぎりぎりまで人員を減らされてきた。

いま猛威をふるう新型コロナウイルスの感染拡大に直面して、防疫体制縮小の〝ツケ〟が保健所機能のパンク状態をうみだしているのである。文字通り不眠不休で業務にあたっている保健所の現場労働者に、長時間労働・労働強化を強いながら、しかも保健所機能のパンクの責任をおしつけているのだ。許せないではないか！

保健所労働者に犠牲を転嫁するな！　反人民的施策を続ける安倍政権を弾劾してたたかおう！

ＰＣＲ検査体制の不備を居直る安倍

山越慎太

「人的な目詰まり」?!　責任を回避する安倍

二〇二〇年五月二十五日に「緊急事態解除宣言」をおこなった首相・安倍晋三は、「一ヵ月半」で新型コロナウイルスの感染蔓延を終息させたなどと、それがみずからの〝成果〟でもあるかのように吹聴した。ふざけるな！　日本において初めての感染者が一月に確認されて以降、今日までの約五ヵ月間にわたり、医療も検査も生活補償も、すべてデタラメなことをくりかえしてきたのが安倍政権ではないか！

首相・安倍は緊急事態宣言の延長前には、ＰＣＲ検査（ウイルス遺伝子検査）の実施数が伸びないことのブザマな弁明をくりかえしていた――「本気でやる気がなかったわけではまったくない。ＰＣＲ（検査）をやる人的な目詰まりもあった」と（五月四日）。感染が蔓延した四月には、発熱し症状が進行しているにもかかわらず感染を確定するためのＰＣＲ検査を受けることもできずに、あるいは実施が遅れて、症状悪化により死亡した人もいた。このような痛ましい事態についても、この輩はいっさいの責任が保健所・検査機関・医療機関にあるがごとく「目詰まり」などと他人事として語ったのだ。なんという人非人的言辞だ。

そもそも政府・厚生労働省が、新型コロナウイルスの感染疑いで相談・受診する目安を「三七・五度以上の発熱が四日以上つづいた場合」と決め、「帰国者・接触者相談センター（保健所等）」にこの場合のみを〝コロナ疑い〟とすることを指示したではないか。そのうえで、「帰国者・接触者外来（非公開）」にて受診、そこでＰＣＲ検査の必要性を確認してようやく検査という何段階ものハードルを作ったのは、政府・厚労省じしんではないか（二月十七日）。〔ちなみに厚労省は、感染拡大の勢いがすでに弱まり始めた五月になってからようやく、「三七・五度以上の発熱が四日以上つづく」という「目安」を示した通達内容を変更した。その理由を説明すると称して、「目安を基準と誤解された」などとうそぶいた（五月八日）のが厚労相の加藤勝信だ。〕

三月には、世界保健機関（ＷＨＯ）が新型コロナウイルスの「パンデミック（世界的大流行）宣言」をだし（三月十一日）、事務局長テドロスが今なすべきなのはとにかく「検査！　検査！　検査！」（三月十六日）と世界中にアピールを発していた。にもかかわらず、なんとしてもオリンピック・パラリンピック中止を避けたかった安倍は、検査で陽性と確定する感染者の人数を増やしたくなかったのである。安倍政権は、クラスター対策に軸をおく「封じ込め」を「クラスター班」に丸投げしただけで、検査体制の再構築などまったく手を付けなかった。形ばかりは「ＰＣＲ検査」の保険適用（三月六日）をうちだすも、相談窓口や検体採取・運搬・検査施設などの体制をどうつくり直すのかの具体的な手立てをいっさい構想もせず、また指示することもなく、そのあげくにオリ・パラの延期を確認した（三月二十四日）その後になって、首相・安倍は「ＰＣＲ検査を一日二万件にする」と公言しだしたのだ（四月六日）。

日本において感染者が確認された一月以降、新型コロナウイルスの唯一の感染確認方法としてあるＰＣＲ検査をおこなってきたのは、保健所、地方衛生研究所、国立感染症研究所、検疫所等であり、一日あたりの検査実施可能件数は約九〇〇〇件といわれていた。だが、実際の検査実施件数は、今日、民間検査機関を含めても、一日五〇〇〇件から六〇〇〇件でしかないのである。安倍がただただ「PCR検査を一日二万件にする」と吹聴し、号令をだしているだけでは、検査件数が増えるわけではないのだ。

PCRの検査体制について保健所・医療機関・検査施設がどのように連携して担っているのか、どこに・どのような問題があるのか――を、安倍はまったくつかんでいない。いや、つかもうとさえしないままに、専門家会議のいう「目詰まり」があったという言辞を借用しているのだ。専門家会議の少なくないメンバーが「目詰まりが解消できないのは政府の責任」とみなしていることにもまったく気づかないのがNSC(国家安全保障会議)専制に安住してきた安倍である。

既存検査体制の延長で対応する愚策

このPCR検査にいたる過程は、発熱など症状があればすぐ受診・検査できるシステムではなく、先に見た保健所での相談、指定医療機関(「帰国者・接触者外来(非公開)」)での受診などを経てはじめて検査にいたるしくみがつくりだされている(今日ようやく医師会などがたちあげた「地域外来・検査センター」での受診・検査が可能となった)。それだけではない。PCR検査可能な施設それじしんが、まずもって限定されている。新型コロナウイルスSARS-COV-2の病原体は、BSL3/ABSL3扱いとされ、感染疑い患者由来の臨床検体はBSL2取り扱いとされている(BSL=バイオセーフティーレベル、ABSL=実験動物施設バイオセーフティーレベル。バイオセーフティーレベルとは、細菌・ウイルスなどの微生物・病原体等を取り扱う方法や実験室・施設の格付けでレベル1から4までの四ランクがあり、数字の多い方が細菌・ウイルスの封じ込めのためのより高度な設備・基準が要求される)。したがって、PCR検査機器があればどこでも検査できるものではないのである。(註)

感染症対策の〝元締め〟としての国立感染症研究所（感染症疫学センター）は、国内の感染症発生動向調査病原体サーベイランス（「監視」「情報収集」）体制〔保健所→地方衛生研究所→国立感染症研究所〕を構築し一元的に管理してきた。したがって、感染症指定病原体の取り扱いについては、インフルエンザ等の五類感染症のように容易に検査できる部類以外は基本的にいわゆる「行政検体」として保健所・地方衛生研究所にての確定検査を経て取り扱うことにされてきた。

政府が新型コロナウイルスを一月二十八日に「指定感染症」として定め、いわゆる「感染症予防法」に規定される行政検査の対象とした。この行政検査の諸々の規定にもとづき限定された機関によって検査等がおこなわれてきていた間は検査件数能力が上がることがなかった。

また、新型コロナウイルスＰＣＲ検査可能施設においては、検体採取時における個人防護具（フェイスシールド、Ｎ95マスク、ガウン、手袋）そして検体採取時に使用するスワブ等がそろわなければ検査を実施することができない。しかし、これらの不足が問題になった。不足しているのは検体採取の時の物品だけではない。ＰＣＲ検査機器（各種ある）にもとづいた国立感染症研究所の病原体検出マニュアルに示された、新型コロナウイルス検出診断キットト試薬を確保し検査しなければならないが、各検査可能機関においてとりわけ検査試薬の供給不足が問題になってきた。にもかかわらず、安倍政権は韓国政府によるＰＣＲ検査キットなどの日本向け支援にたいし、そのような「具体的なやりとりをしている事実はない」（四月二十七日、官房長官・菅義偉）と拒否してもいたのだ。

なおかつ、ＰＣＲ検査機器、新型コロナウイルス試薬等があれば誰でも検査確認できるものではない。新型コロナウイルスに感染しているかどうかについては、ウイルスそのものの特異性により、採取した検体に含まれるＲＮＡ（リボ核酸）をＤＮＡ（デオキシリボ核酸）へと変換（逆転写）し（コロナウイルスはＲＮＡしかもっていない）そのＤＮＡを増幅することによって陽性確認をする。ＲＮＡはＤＮＡとは異なり不安定であるがゆえに、各施設においては標準作業手順書を作成しそれにもとづき検査を実施していく。検査技師は、その取り扱いおよび手技に習熟していることが求められているのである。DNA増幅行為を含めて、検査技師の技術力が必要となるのであり、PCR検査機械さえあれば検査件数をただ増やすことができるというものではないのである。

〔PCR検査は、この検査そのものの感度(感染者を陽性と判定できる確率)と特異度(非感染者を陰性と判定できる確率)の二つの観点から評価されるが、感度は最大七〇%位ともいわれている。したがって、各検査施設においては、PCR検査結果の信頼性にかかわる検査の精度管理がしっかりと求められてもいるのである。専門家会議があえて「PCR等検査の留意点」として「PCR等検査は感染性のあるウイルス粒子そのものではなく、あくまでウイルス遺伝子の存在を鋭敏にとらえる方法である」と言及しているることに留意する必要がある。なお、PCR以外の検査方法である「抗原検査キット」が薬事承認され、中央社会保険医療協議会(中医協＝厚労相の諮問機関)で公的医療保険の適用が決まり、その取り扱い手順が示されてはいる。〕

二〇一〇年、新型インフルエンザの教訓としてその後作成された政府の行動計画において、PCR検査等を実施する体制整備がうたわれていた。けれども安倍政権は、その後何もしないどころか行政改革と称して公衆衛生部門・感染症等の組織・予算を圧縮しつづけてきた。

今日、専門家会議でさえ五月四日の場においてあらためて、三月初旬から「検査体制の充実」を安倍政権に要請したにもかかわらず無視されたことに触れている。再び五月二十九日には、「次なる波」に備えた「検査体制」「医療体制」「保健所機能・感染予防策」等々の「更なる強化」に、政府がとりくむべきことと言及し、感染症対策の「専門家会議」としても、無為無策の安倍政権に「提言」というかたちでやんわりと批難の声をあげてもいるのである。

新型コロナウイルス対策の失敗を居直る安倍政権を許すな！　独占ブルジョア優遇の「景気のV字回復」を軸と称した、勤労人民への欺瞞的〝支援〟策の反人民性を暴きだせ！　安倍政権による貧窮人民切り捨てを許すな！　いまこそ安倍政権打倒へとつき進め！

註　ちなみにBSL4の実験室を保有している国家は限られており、日本では現在、国立感染症研究所村山庁舎と理化学研究所筑波研究所にのみにレベル4実験室が設置されている。

ウイルス研究・遺伝子組み換え技術は生物兵器の開発に直結するものである。そうであるがゆえに米・中・露をはじめとした各国権力者は、これらの技術開発にしのぎを削っているのである。いわゆる「感染症」にたいする防疫体制は国家の安全保障にかかわるものとして、過去、戦前・戦中から一元管理体制のもとで進められてきた経緯を、今日においても踏襲し、進められてきたといえる。

清掃労働者を感染の危険にさらす政府・自治体当局

石　野　雄　大

マスク・消毒液の支給もなく大量のごみ収集で疲労困憊

安倍政権が「緊急事態宣言」をうちだし、労働者・人民に「ステイホーム」「外出自粛」を強制した二〇二〇年四月七日以降、全国の清掃労働者は新型コロナウイルスに汚染されているかもしれない大量のごみの処理に追われ、感染のリスクにさらされてきた。この「宣言」がかたちばかり解除されたとしても、汚染物質が混じっている可能性のあるごみを両手でかかえこんで処理する清掃労働者の新型ウイルス感染リスクは今なお続いているのだ。現に神戸市須磨区の環境事業所では、十六名の労働者が集団感染し、事業所が閉鎖された(四月十七日)。

A市で働く清掃労働者たちも、家庭から出され山積みとなった通常よりも二～三割多いごみ袋を、ごみ収集車の投入口に積みこむ。しかしごみ袋の山は延々と続き収集しきれない。通常よりも一回から二回余分に現場をまわらなければならない。持病の腰痛や膝痛がひどくなる。汗が噴き出し、マスクが顔にはりつく。息苦しくてマスクなどしておれない。

感染の危険を負いながらのごみ収集作業

手でつかんだごみ袋の中には、使用済みのマスクやティッシュペーパーなどがいっぱい混じっている。袋を手にもつときに「このごみ、大丈夫か?」とためらう。収集車の押しこみ板が回転してごみ袋がつぶされ〝パン!〟と音を立てて破裂すると、一瞬「ウイルスが飛散して自分が浴びたかも」と心配になる。そのうえごみ袋に入れられたスプレー缶などが収集車の中で火災をおこさないかと気にかかる。

ごみ袋収集後に作業員二人は収集車のキャビンに乗りこみ、清掃工場まで運転手と三人で、それこそ「三密」状態で移動する。工場でごみ袋を排出した後、再び次の現場に向かう。それを一日に四回から六回くりかえすのだ。一人が感染すればすぐに他の労働者に感染し、一気に職場全体が集団感染してしまう。

にもかかわらず市当局は、労働者を感染から守るために最低限必要なマスクや消毒液すら支給しないのだ。労働者たちはマスクを個人的に手に入れて使い回しせざるをえない。安倍政権と同様に市当局もまた感染防止の対策を現場に丸投げしているのだ。

いま清掃労働者は、新型コロナウイルス感染とともに、暑さのなかで増えつづけるごみの処理のために精神的にも肉体的にも疲労困憊している。さらに真夏が来て酷暑のなかでマスクを着用して激しい作業をすれば、熱中症で倒れる労働者が確実に増えるに違いない。清掃労働者も、医療労働者と同様に、生命の危険さえ感じながらごみ収集をしているのだ。

コロナ対策失敗の犠牲を労働者に転嫁する安倍政権

「東京オリンピックの開催」に固執し、初動の対応に失敗して新型コロナウイルスの感染拡大を許したのが安倍政権だ。この政権は、みずからが招いた「医療崩壊」の危機を避けるためと称して、感染者のうち重症者や中等症者だけを入院させつつ、軽症者や無症状の感染者はホテルや自宅での療養とする方針をうちだした。この「自宅療養」となる軽症もしくは無症状の人々に、使用したマスク・ティッシュなどの捨て方（密封するなど）を教育することも、特別にこのごみを処理する体制をつくることも、いっさい怠ったのが、安倍政権なのだ。

これによって、新型コロナウイルス感染者が日々排出するごみが家庭ごみとともに混在されて廃棄されるようになった。本来は医療施設と同様に、「感染性廃棄物」として専門業者などにより厳格な処分が義務づけられるべきであるにもかかわらず、そのための体制や予算措置などを安倍政権はいっさい講じなかったのだ。

こうして官民を問わず全国の清掃労働者は、ごみの収集・運搬・処分の全過程で誰がいつ感染してもおかしくない危険な状況にたたきこまれたのだ。資源ごみで出されるペットボトルに付着した新型コロナウイルスは、七十二時間も生きていると言われている。だがA市の委託を受けた民間企業の非正規雇用労働者は、資源ごみの袋の中に混入している異物を取り除く作業を、何の教育もされないまま無防備に担わされているのだ。

安倍政権は、三月下旬になって一般家庭向けのパンフレットを作成し、各自治体にたいしてごみの出し方について、「使用済みのマスクやティッシュペーパーに触れた手でごみ袋に触れない」などを、住民には周知するよう指示した。だが、現場の労働者がいま最も必要としているマスクの補充や消毒液の確保、人員増、危険手当の支給などの体制づくりと予算措置を完全に放棄し、各自治体に丸投げしているのだ。

そもそも各自治体当局は、このかん安倍政権が声高に叫ぶ「公的サービスの産業化」の名のもとに、ごみ収集をはじめとする現業の全廃＝民間委託を強行してきた。A市でも市当局は、政府・総務省の圧力をうけながら、「退職不補充」を掲げて大幅な人員と車両の削減や、民間委託の拡大を進めてきた。その結果として職場は、若い労働者がほとんど採用されず、平均年齢が五十五歳を超える労働者たちばかりとなった。とりわけごみ収集部門では、ごみの量が一段と増え収集の範囲が拡がる一方で、これが残された少ない人員・車両にわりふられることにより労働強化は極限的なものとなった。五十代の労働者たちが、自分たちが二十代・三十代に担っていた以上の仕事量を課せられているのだ。

職場では「カラダがもたない」「殺される」という悲痛な声があがっている。こうした清掃労働者にムチ打つかのように、新型コロナウイルスに汚染されているかもしれない大量のごみを無防備のまま収集せよと犠牲を強要しているのが安倍政権なのだ。絶対に許すな！

「組合も当局も一丸で」と号令する日共系自治労連指導部に抗し闘おう！

いま「自治労連」の日共系執行部は、「住民のいのちとくらしを守る力の発揮どき」「組合も当局も一丸となって」働け、と号令している。こうした「指導」のゆえにA市の単組ダラ幹どもは、「組合員の感染リスクを避ける必要な措置」と称して、いっさいの労組の機関会議を中止・延期して、自治体当局にかたちばかりの「新型コロナ対策」を申し入れたにすぎない。彼らは自治体当局とのあいだで現行の体制のままでいかに「安定的な業務運行」を遂行するかを協議し、組合員にたいしては感染して業務を滞らせることのないよう個々人が「行動を自重」するように指示しているのだ。市当局が感染回避のための十分な対策をとっていないがゆえにすべての組合員が感染リスクに苦しみながら働いている。こうした現場からまきおこる組合員の怒りの声を組織して職場闘争にとりくむことを完全に放棄し、組合員にたいして「国民全体の奉仕者」として住民のために感染も恐れず働けと迫っているのが自治労連傘下の日共系の労組ダラ幹どもなのだ。これでは政府や自治体当局の新型コロナウイルス対策への組合員の不満や怒りは押さえつけられ、安倍政権の「ウイルスとの戦いに勝とう」「ウイルスと人類との闘い」などという虚偽のイデオロギーにとりこまれるのを許してしまうではないか！

　われわれは自治労連指導部による闘いの歪曲に抗して、今こそ職場から団結して闘いを創造するのでなければならない。全国の官・民の清掃労働者は人員・車両増と危険手当の支給、手袋・マスク・消毒液の継続的支給を要求してたたかおう！　今こそ現業全廃反対！　民営化反対の闘いをつくりだそう！　パンデミック恐慌の犠牲を労働者に転嫁する安倍政権を打倒しよう！

急増する生活保護申請

――自治体労働者に労働強化を強いる安倍政権――

島崎　肇

新型コロナウイルス感染症による工場や事業所の業績悪化を理由にして、突然解雇されたり派遣期間更新を拒否されたりして、生活ができなくなる労働者が爆発的に増加している。

二〇二〇年五月二十二日に厚生労働相・加藤勝信は、新型コロナウイルスに関連した解雇や雇い止めにされた人がすでに一万人を超えており（五月だけで七〇〇〇人）、今後はさらに二〇一万人にのぼる恐れがあると発表した。こんな数字はまったくのきれい事だ。実際には、統計数字にさえ表れない、雇用保険にも加入していない不安定雇用のアルバイトやパート労働者が、なんの保障もなく首を切られているのだ。

安倍政権が大宣伝する「一律一人あたり一〇万円給付」はまだ申請書さえ届かない世帯も多い。政府が無責任にも〝振込が早い〟などと宣伝したインターネットによる給付金の申請は、振込が大幅に遅れている。申請を受け付ける自治体の労働者は、申請内容の確認を一件づつ紙にうちだし、二人一組で申請内容を読みあげながらおこなわなければならないがゆえに、極限的な労働強化へと叩きこまれているのだ（本号五四頁の麻沢穣論文を参照）。政府は、失業や減収となった世帯への貸付である緊急小口資金を従来の倍額の二〇万円に増やし、別個に特例貸付を新設したというが、これは、無利子であるとはいえ給付ではなくあくまで貸付である。住居確保支援金も五万三七〇〇円が三ヵ月しか給付されないのでは一時しのぎにしかならないのが実情だ。

安倍政権は、「景気のV字回復」のためであると称して独占資本家への様ざまな給付や企業活動の助成にはふんだんに税金をつぎ込み、その他面、困窮した労働者には雀の涙ほどの貸付をおこなうのみで切り捨てようとしているのだ。

そもそも新型コロナ感染症蔓延以前においても、日本で暮らす単身世帯の実に三人に一人以上、家族で暮らしている四世帯に一世帯には貯金がゼロであった。そのうちの多くの労働者や年金生活者は、もともと生活保護費以下の収入でギリギリの生活をしていた。これらの無貯金やわずかな蓄えしかなかった世帯が一気に生活苦に陥ったのだ。

安倍政権は「世界で一番企業活動をしやすい国を目指します」などといいながら、法人税をはじめとして大企業に数々の優遇をおこなう一方で、労働者・人民に貧窮を強いてきた。そして、新型コロナウイルスの蔓延に乗じた経営者どもが労働者を解雇・雇い止めしているのであり、いまや明日の生活費もない労働者が一気にかつ数多うみだされているのだ。首相・安倍晋三よ！　労働者・人民をさらに困窮の底へ落としこむことは断じて許さない！

今晩寝る場所がない──切羽詰まった来所者たち

このような状況下で全国の自治体生活保護の職場では、生活苦の相談が急激に増加している。新規の保護申請が前年の四割から五割も増加しており、相談件数にいたっては二〜三倍になっている自治体が多い。都内の生活保護窓口ではフロアーに溢れた相談者が階段に並び、本来であれば相談に使う個室の面接室が満杯のため、プライバシーもなんのその、相談員が階段で聴き取りせざるをえない事態も起こっている。

健康で働く意欲もあるのに、雇い主にいきなり突然解雇されたり自宅待機にさせられたりして、茫然自失となって相談に訪れるというのが現在の相談者の特徴だ。

安倍政権はマスコミをも動員して、〝生活保護を受けるのは恥ずかしいこと、国の世話になる怠け者〟などというキャンペーンを撒き散らしてきた。

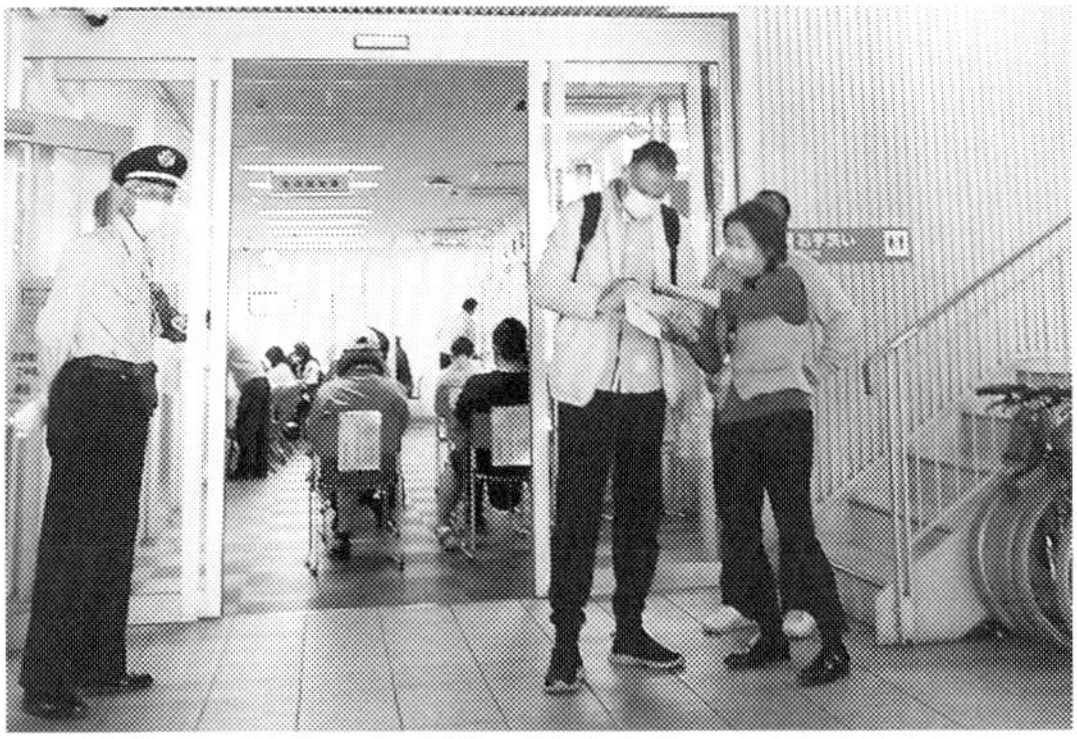

自治体窓口は様々な申請の順番を待つ人民であふれる

だからこれからも働いて生活するつもりだった労働者は、いきなり自分が保護を受ける境遇に陥ったことを受け入れられないまま生活保護相談に訪れる。安倍政権に向けられて当然の怒りを自分に向け、「自分が悪いんです」とうなだれる。時には持って行き場のない怒りを現場の自治体労働者へ向けることもある。

医療費が払えないためギリギリまで病院を受診することができずに病状を悪化させ、救急車で運ばれてそのまま入院し、病院をつうじて保護申請をする患者も目立っている。

また外出もままならないなかで、生活や今後への不安から精神的に追い詰められる人たちも増えている。彼らの苛立ちは家族へと向けられる。配偶者やパートナーから暴力や言葉の暴力を受けて自宅から逃げだし、行き場所を失う人たちが激増している。

解雇と同時に寮を追い出されたり、夫の暴力から逃れて着の身着のまま子どもを連れてきたというような、生活費ばかりか寝る場所も失っている人たちも少なくない。

手持ちのお金が数百円しかない、今晩寝る場所がないという切迫した来所者に、自治体労働者は緊急で生活保護の申請受付をおこない、当面の居場所を確保しなければならない。夫などから逃れてきた母子や女性は、安全なシェルターへと保護する必要がある。ケースワーカーがそれらの業務に緊急で対応しなければならなくなる。

安倍政権がこれまで生活保護費を毎年のように削減しているため、たとえ保護が開始されても、生きていくギリギリの生活費しか支給されない。それは、新型コロナウイルス感染症の蔓延に乗じて経営者どもが労働者の首切りに狂奔している今も変わりはない。「保護費では一日三食は食べられない。特売店を回って安い食材を買っても二食たべるのがやっと」という受給者の声が多いのだ。

生活保護の職場の労働者は、連日の残業や土日出勤を余儀なくされながら、今までとは違う、格段に切羽詰まった相談に対応している。たたかう労働者は安倍政権を絶対に許さない！と日々怒りをあらたにしているのだ。

自治体労働者に労働強化を強要する安倍政権を許すな

ところで生活保護窓口以外においても、現在自治体職場は安倍政権がうちだす施策の朝令暮改により大混乱している。「一律一〇万円」給付の受付、社会福祉協議会が窓口となっている貸付金などの受付、それらの給付金・貸付金の振込事務をおこなう部署が業務量の爆発的増加でパンク状態だ。

保健師をはじめとする保健所の労働者は電話相談対応、医療機関への連絡調整等々の業務の急増により超過勤務を強要され過労死ラインを超えて働いている。多くの自治体当局はこれら新型コロナ関連業務を、役所内の他部署から職員を応援に投入して凌ごうとしている。しかし、税金、国民健康保険や国民年金等の保険料など、税や保険料を払えない住民の相談が相次ぎ、他に職員を振り向ける余裕などどこの部署でもないのが実態だ。自治体当局はこれらの実態を知りながら、強制的に職員に兼務命令を発令して応援職員として配置している。

安倍政権はこれまで地方自治体への財政支出を大幅に削減してきた。自治体当局は、安倍政権の意向に沿って職員の削減や「効率化」をおこなわないと交付金を削られるため、こぞって職員数の削減を強行してきた。業務の外部委託や派遣職員の導入などにより、緊急事態に対応できる人員の余裕など皆無なのだ。給付金や貸付金の金額や支給方法がクルクルと変更されるがゆえに、自治体労働者は振り回され労働強化に追いこまれている。その一切の責任は安倍政権にあるのだ。まったく許せないではないか。

困窮する労働者・人民を見殺しにする安倍ネオ・ファシズム政権を打ち倒せ！自治体労働者に極限的な労働強化を強要する安倍政権を許すな！自治体職場のたたかう労働者は安倍政権打倒へと突き進もう！

10万円給付オンライン申請―大混乱の職場

麻沢穣

安倍政権による「緊急経済対策」は、生活苦にあえぐ労働者・勤労人民を見殺しにするもの以外のなにものでもない。資本家・経営者による解雇・雇い止めを突きつけられた労働者・勤労人民の塗炭の苦しみを見よ！

生活苦に直面した多くの人民が、「一律一人あたり一〇万円現金給付」のためのオンラインによる申請に難渋して自治体の窓口に殺到している。自治体の狭い窓口は大混雑・大混乱の「三密」状態が続いている。自治体の窓口で働く公務労働者は、文字どおり息つく間もないほどの労働強化を強要されているのだ。

しかも政府権力者は、この混乱に乗じて、労働者・人民の国家による監視統制を一挙に強化することを企てている。警戒せよ！ 〝一日でも早く給付金を受け取りたい〟という生活苦にあえぐ労働者・人民の窮状を利用して、安倍政権はマイナンバーカードの取得率を一挙におしひろげようと企てているのだ。しかも、マイナンバーとすべての預貯金口座をひも付けして、労働者・人民の〝金の出し入れ〟を監視しようとのりだしているのだ。安倍政権による日本型ネオ・ファシズム支配体制の強化を許すな！

マイナンバーカード利用で現場に苛酷な労働を強制

安倍政権がうちだした「一人あたり一〇万円の現金給付」なるもの――それは困窮する労働者・人民にとってはほんの一時しのぎのものにすぎない。それをおしかくすかのように首相・安倍晋三は、〝スピード感〟をことさらにわめきたて、「マイナンバーカードを利用した方が早い」「〔早く受け取りたい人は〕オンライン申請を！」などと喧伝したのだ。この発表を受けて、一日でも早く給付金を手にしたい住民が殺到したのである。

オンライン申請は、全国の自治体からマイナンバーの管理を委託されている「地方公共団体情報システム機構」の「マイナポータルサイト」にある申請ページをつうじて申しこむ。このシステムにアクセスが集中した。その結果、通常業務（新年度に異動した住民が新しく住民票をつくるなど）に加えて現金給付のオンライン申請のアクセスが一挙に集中し、これによって、大規模なシステム障害が発生したのだ。同様の事態は、二〇一六年一月にマイナンバーカードの交付がはじまったときに申請が集中し発生したのだが、それ以降システム障害対策はなされないままだったのだ。いまだに「マイナポータル」につながらない状態は続いている。

オンライン申請システムは、そもそも申請する住民にとっては、極めて複雑であり、間違って入力してしまうことを避けられないものなのである。①四桁の暗証番号、②六〜十六桁の利用者証明用電子証明書番号を入力しなければならない。だが、この暗証番号や電子証明書番号を忘れた、電子認証の更新を忘れていた、という住民が当然にも多数いる。そもそもマイナンバーカードは、十年間有効であるが、電子認証を五年ごとに更新し再設定しなければならない。カードをつくった住民のうち更新をする必要があったにもかかわらずその必要性を自覚していなかった人が、旧番号での入力をくりかえしてアクセス停止に陥った。彼らは、再設定手続きのために自治体の窓口に行かざるをえないのだ。

申請の複雑さは番号の再設定にかぎらない。オンライン申請は、マイナポータルにアクセスしてマイナンバーカードをカードリーダーで読み取り、世帯主の氏名・生年月日・住所と世帯員全員の氏名・生年月日などを入力する。それに振込口座を証明する書類を添付して、カードの利用者証明用電子証明書番号を入力して完了となる。しかし、振込口座や家族の生年月日などの誤入力や世帯主以外の家族が重複して申請していたり、別居する両親の分も一緒に申しこんだりと様ざまな記入ミスが後を絶たない。

自治体では今、「特別定額給付金」対応のために新たな部・課を新設してベテラン職員を招集した。作業は、開封などの軽作業を事業委託した派遣会社の社員がおこない、正規の職員は二重振込を防ぐために二人一組で対応している。世帯主の住民票コードを手入力し、世帯情報をまとめる住民基本台帳と申請時点で入力された情報をダウンロードし、これを突合し確認する。突合とは、一人が読み上げ、もう一人がそれを確認し交代して二度確認する照合作業だ。銀行名が旧名だったり、銀行への登録名と住民基本台帳が違っていたりすることを、一つ一つ照合し訂正する。(本人確認のために添付された免許証は住所変更があったとき裏面に記載されるが、これがコピーされていない場合も多々ある。)それは膨大な事務量である。さらにオンライン申請の場合、家族が多いと一度に入力できる数には上限があり、複数回に分けて入力する必要があるので、「突合=確認」作業も膨大である。二人一組で五組がおこなっても週に一千件しかできない。郵送申請の処理より何倍も手間がかかるのだ。

郵送の場合は、申請者が自分で記入する部分は極めて少ない。郵送される申請書にはあらかじめ基本情報が印字されており、口座情報を記入して返送すれば良い。マイナンバーカードをめぐる混乱に加えて、オンライン申請による確認作業に自治体現場は混乱しつづけ、公務労働者は苛酷きわまりない労働強化にあえいでいるのだ。

国民総監視体制の強化に邁進する安倍政権を許すな！

さらにわれわれは警戒しなければならない。安倍政権が今日、コロナ禍において早く給付金を受け取りたいという労働者・人民の窮状を利用して、マイナンバーカードを普及させて、このマイナンバーと金融機関の口座を〝ひも付ける〟ことを策しているのだ。

マイナンバーカードの普及を是非とも成し遂げたい安倍政権は、マイナンバーの通知カードを廃止し、マイナンバーカードの取得を事実上強制しようとしている。二〇二一年度からは、国・地方の公務員の健康保険証をマイナンバーカードと一体化し、翌二二年度から民間の労働者が加入する健康保険の保険証にも適用しようとしている。

政府権力者は、新型コロナウイルス感染拡大の防止を大義名分として、国家が国民の行動をリアルタイムで逐一把握するのは当然であるかのように喧伝し、国民総監視体制を強化している。今や、なお残っている〝プライバシーの侵害はいやだ〟という意識を一気に払拭しつつ、マイナンバーカードを普及させようと狂奔しているのが安倍日本型ネオ・ファシズム政権なのだ。

パンデミック恐慌下ですすめられる監視社会づくりに警戒せよ！　さらに緊急事態条項制定を狙った改憲に反対しよう！　日本型ネオ・ファシズム支配体制の強化を策し、反人民性をむき出しにする安倍政権を打倒しよう！

感染の危険に脅かされる郵便労働者

横手川宅司

いま郵便労働者は、新型コロナの感染拡大にともない、命と健康の危険に脅かされている。外出自粛の影響で、フリーマーケットアプリのメルカリ・ネット通販など対面配達すべき郵便の利用が激増している。しかも、なんの役にもたたず首相・安倍晋三の愚かさをさらけだしたにすぎない〝アベノマスク〟の全戸配布がこれに拍車をかけている。また差し出しのために郵便局窓口に来る利用者も激増している。このようななかで郵政経営陣が、感染防止対策をまともにやらず、郵便労働者に業務を強制しているからだ。

すべての郵政労働者のみなさん！　労働者の安全対策を投げ捨て〝今が儲けるチャンス〟とばかりに業務優先を貫く郵政経営陣を弾劾せよ！　同時に、この経営陣に全面協力するＪＰ労組本部を許すな！　すべてのたたかう労働者は、いまこそ組合員を守るために、組合の団結を強化してたたかおう。そのために、東京管内を中心とする郵便職場の実態を怒りをもって明らかにする。

1　感染拡大の危機にさらされる郵便職場

全国の郵政職場において新型コロナ感染が拡大している。二〇二〇年三月中は五局であった感染発生局が四月に入って二十局以上と急拡大し、感染者も三十一名以上に達している（四月二十五日時点）。感染者は、集配労働者（郵便外務）や郵便局窓口労働者に多く、業務中に利用者との接触によって感染したものと思われる。

いくつかの局で外務労働者が発熱後に出勤し、その後、新型コロナ陽性と判明するという事態がうみだされている。局当局者は、口先では「発熱した場合は休め」というが、ほとんどの職場で徹底化されていない。このことによって七名以上の集団感染が発生した局さえある。

郵便労働者は、発熱したとしても「他の労働者の負担が増え迷惑がかかるので出勤せざるをえない」という意識にかられている。経営陣が絶対的な人員不足を放置し、発熱者が出てもその穴埋めすらせず、しかもコストコントロールと称して超勤削減を労働者に強いている。このゆえに、休みたくても休めない状態においこまれているのだ。こうして、複数の感染者がうみだされ、川崎市の登戸局のように長期業務休止となり、ゆうパック一万二〇〇〇個と郵便物三四万通の滞留を発生させる事態さえうみだされている。

2　インチキ感染対策と集配職場の現実（東京管内）

四月八日に郵政経営陣は、安倍政権の「緊急事態宣言」（四月七日）を受けて対処方針をだした。しかしその内容は、「お客さまと社員の安全確保」措置（混雑を避ける程度でしかないそれ）への協力要請と、集配局（普通局）などでのゆうゆう窓口開設時間の一時間程度の短縮などであり、いわば利用者むけのそれにすぎなかった。ようやく十七日に、現場における「密閉」・「密集」・「密接」（三密）を避ける対応策なるものをうちだした。彼らの「感染対策」は、以下のとおりである。(a)出勤時間のシフトの変更、(b)大区分抜き出し（郵便内務が区分したものを班ごとに抜き出す作業）時の混雑緩和、(c)ミーティングの簡素化、(d)アルコールチェッカー使用時の感染リスク回避、(e)社員が隣り合わせの区分函（郵便物をエリアごとに区分するための棚）での作業をなくすこと、(f)道順組み立て（郵便物を配達順に並べ替える作業）ゆうメイト配置班は作業テーブル・作業場所の確保、(g)早出出勤者は遅出出勤者の大区分・道順組み立てをおこない遅出出勤者が出勤時にすぐ出発できるようにする、(h)携帯端末授受時、エレベーター内、休憩室の混雑緩和。

おもに集配職場を対象としてうちだされたこれらの諸施策は、感染対策をとっているかのようにおしだすためのアリバイ的なものにすぎない。経営陣は、現場に一片の「指導」をだしただけで、経費や要員を確保することもなく、実施状況の点検すら放棄している。それゆえに、各郵便局当局の対応はバラバラでかつおざなりなものでしかなく、郵便労働者はいわゆる「三密」状態のまま放置されているのだ。

①外出自粛している多くの市民が、ネット販売・メルカリ、現金書留、レターパック、ゆうパックなどを多用し、取り扱い数が年末繁忙期並みとなっている。しかもこれらの郵便物は受取人と対面授受（配達）しなければならず、集配労働者（郵便外務）は受取人との接触機会が増え、日々感染の危機にさらされている。

会社当局は、「配達先での接触機会を減らす」と称して、受取人の希望にもとづいてドアポストへの投函や玄関先へのいわゆる「置き配」を呼びかけてはいる。しかし、利用者への周知はホームページなどに載せるだけで、実効性を高めようとはしていない。実際、ドアポストへの投函を希望する受取人は三分の一程度でしかない。外出自粛で在宅率が高くなり対面配達の機会は増加する一方で、会社当局の「密接」を減らす対策はザル抜け状態なのだ。集配

労働者たちは、感染危機にさらされながらも必死で配達労働をしている。このことをまったく顧みないのが経営陣なのだ。

②会社当局は、八時出勤の多い集配職場で、通勤時と作業場内での「密接」を避けるためと称して、勤務時間のシフト・時差出勤（一時間程度の後ろ倒し）を提示している。

だが現場当局者は、書留などの交付・授受がいっせいにできず業務指導・管理が煩雑になることを嫌って、さらには午前配達の遅れによる苦情や超勤増加になることを懸念して初めからやる気がなく、ほとんど実行されていない。

③大区分の抜き出し時における「密接」を避けることもまったくできていない。

このかんの経営陣による徹底的な人員削減によって、郵便職場では極限的な要員不足にたたきこまれている。対面配達などの郵便物が激増するなかで、配達出発時間が遅れれば時間内に郵便物を配達できなくなる。それゆえに、集配労働者たちは、始業時にいっせいに抜き出しをせざるをえなくなっているのだ。この集配労働者の切羽詰まった状況を見ていながら会社当局は、「少し距離を取るように」とか「ジグザグに並んで」とかと形ばかり呼びかけるだけで、実際は見て見ぬふりをしているのだ。

④ミーティングの「密接」を避けるための時間短縮策もまったくデタラメである。会社当局は、朝の全体ミーティングでは交通安全唱和などをとりやめたり若干短縮してはいるものの、逆に午後の班長・班ミーティングを長々とやっている。しかもお互いの距離をとることもせず、コロナ感染対策の注意喚起を促すわけでもなく、「密接」状態で業務上の報告・指示をおこなっているのである。

⑤大区分・道順組み立てなどの内務作業時には社員が隣り合わせで作業することのないようにするとか、組み立てゆうメイト（非正規雇用）の作業は作業テーブル・作業場所を確保するように会社当局は指示をだしている。だが、そもそも区分函の間隔を空ける作業スペースがない。区分函をビニールカーテンで囲いこむか、出勤者を半分に減らす以外にないのであるが、このような対策をまったくとってい

ない。レイアウト変更や間仕切りにしろこれらは時間と労力と経費がかかるために、会社当局は無視を決めこんでいるのである。

3　濃密接触機会が増大する窓口職場

経営陣は、東京都内の小規模局であるエリアマネジメント局（旧特定局）において、非常事態宣言後の四月十三日頃から、社員を二班（A・B）に分けて交互に出勤させたり、午前午後に分けて出勤させたり、社員同士の「密接」を避ける対策をとりはじめている。二十二日からは東京都下や大阪府など七都府県、二十七日からは北海道、愛知など、一部の旧特定局で窓口開設時間を十時から十五時までに短縮したりしている。だが、この営業時間短縮が逆効果となっている。郵便やATM利用の来客数が通常期の一・五倍に増え、飛沫防止ビニールカーテンが施されているとはいえ、狭い局舎内では「三密」状態となり、感染危機は増大し、労働強化となっているのだ。

他方、単独マネジメント局（集配局）の窓口労働者は、営業時間は通常通りで、旧特定局のように時間短縮や交代出勤による特別休暇はまったくとれず、年末繁忙期並みの業務を強いられている。会社当局は、集配局の窓口労働者は交替制勤務だから営業時間の短縮はしない、特別休暇は付与しないなどと居直っている。集配局の窓口は、旧特定局の時間短縮営業の影響を受けて来客数は大幅に増加している。だが、会社当局は窓口労働者から感染者が多くでているにもかかわらず、接触機会を減らすために出勤数を減らすなどの対策をまったくとらず、窓口労働者をこき使っているのである。

4　郵政労働者を見殺しにするな！

以上見てきたように、郵便労働者の命と健康を守る感染対策を放棄して見殺しにしているのが会社経営陣なのだ。

彼らは、「国民生活を支える社会のインフラとしての役割を果たす」などという大義名分をかかげて、業務運行を最優先にしている。経営陣はコロナ禍のなかで、かんぽ問題での信頼失墜を挽回する機会と位置づけ、また通販など大量に差し出される小型荷物を取り込み収益を拡大する絶好のチャンスととらえ、ほくそ笑んでいるにちがいない。郵便労働者にはユニバーサルサービスを担う事業としての役割をおしだし、生産性向上・収益拡大・コストコントロール（超勤削減など）に駆りたてているのだ。

経営陣は、二〇春闘では五年連続のベースアップゼロ・一時金の据え置きを強いてきた。彼らは、新型コロナ感染危機のもとで郵便労働者に過重な労働を強いているにもかかわらず、なんの手当・一時金さえ支給することなく、事業の捨て石にしているのだ。それだけではない。労働力不足を放置し労働者が疲弊しているにもかかわらず、〝要員は足りている〟とうそぶき、さらに一万人以上もの郵便労働者の削減を狙っているのだ。テレマティクスなどのICT（情報通信技術）化・合理化には莫大な資金を投入し、他方で新型コロナ感染対策の費用は徹底して抑制しているのだ。まさに労働者を見殺しにしているのが郵政経営陣にほかならない。こんなことが許されていいのか。

JP労組本部は、社員やお客さまの安全確保を第一に会社経営陣と交渉しているという。だが、経営陣の「職場での三密リスク回避に務める」という回答を得たことをもって、感染対策の諸施策のすべてを丸呑みしたのだ。本部は、会社当局の感染対策がおざなりでまったく実行されていないことに一片の抗議すらしていない。彼らは、現場組合員が危険にさらされていることよりも、「国民生活のインフラを維持する役割を担う」ことを大前提にして、業務上の対応策の交渉に力を注いでいるのである。本部は、たたかう労働者による組合員を組織した批判の声に突き動かされて、四月二十七日になってようやく日本郵便会社に緊急要求を提出した。そして翌二十八日になって現場の「三密」を回避する具体的交渉に入ったのが本部なのだ。あまりにも遅いではないか。だが、それとてまともに実行されてはいない。本部も組合員を見殺しにしているのだ。

すべての郵政労働者のみなさん！　感染危機が高まり、郵政労働者とその家族が命の危険に脅かされているときに、収益拡大に狂奔し感染防止策をおざなりにしている郵政経営陣を弾劾せよ！　そして、現場労働者を業務運行に差し出す本部の対応を弾劾し、職場から郵政労働者とその家族を守る闘いを全力でつくりだそう。安倍政権の無為無策によって、多くの労働者が明日の生活さえままならない状況にたたきこまれている。安倍政権の人民切り捨てに反対する闘いを強化しよう。戦闘的・革命的労働者はその先頭に立て。ともにたたかおう。

（二〇二〇年四月二十九日）

追記：五月十一日、日本郵便会社は、緊急事態宣言の延長を受けて、郵便業務の維持と社員の感染予防を両立するため、と称して配達社員の出勤数を一割程度減らすこと（それによる一日程度の郵便の遅れ）を発表した。だが、班ごとに配達・事故処理がすべて完了する場合にのみ、特別休暇を付与するというものであり、労働力不足のなかで人的補償はなく、実効性はまったくないものなのだ。早急に労働力を確保し労働者負担を軽減する措置をただちに実行せよ。

安倍政権による困窮学生の切り捨て弾劾
全国の学生は闘いに起て

マル学同革マル派　早大支部

わがマルクス主義学生同盟・早稲田大学支部は、力をこめて訴える！　全国二九〇万の学生は、ただちに学費無償化・生活補償をかちとるために起ちあがれ！　困窮する労働者・学生を見殺しにする安倍政権をいまこそ打ち倒せ！

＜パンデミック恐慌＞下で学生に犠牲を強制する安倍政権

安倍政権は、生活補償なき「緊急事態宣言」を五月末まで延長することを決定した（二〇二〇年五月四日）。冗談ではない！　事業者・労働者への休業補償をあくまで拒絶しておいて、あと一ヵ月もどうやって生きてゆけというのか。不当解雇、大幅賃金削減を強いられた労働者、家賃支払いの借金地獄にはまりこんだ中小零細事業者のなかには、自殺者さえでている。新型コロナウイルスの感染拡大を招いた張本人・安倍晋三がみずからの大犯罪を居直り、「新しい日常生活を」などと人民にヌケヌケと語ることを断じて許してはならない！

首相・安倍は、労働者・学生の怒りの爆発におびえて、家賃費用の融資に加え、バイト収入減の学生対策を「与党の検討にふまえて講ずる」などとおずおずと語りはじめた。だが労働者・学生たちは明日の糧もないような苦しみを強いられているのだ。貧窮に追いこまれた労働者・学生を見殺しにする安倍政権に怒りをつきつけよ！

多くの学生が、父母の大幅収入減に加え、学費と生活費の捻出に不可欠なアルバイト収入を絶たれたまま、前期学費の一次納入期日(早大は五月一日。文系は約六〇万円、理系は約九〇万円)の納入を断念し、休学や退学を決断する瀬戸際にある。約六割の学生がバイト収入を減らし、五人に一人が退学を考えているのだ！　ギリギリまで生活費を切り詰め、時とともに深まる学生の苦悩など、安倍には露ほどもわかるまい！

政府・文部科学省は、緊急事態宣言によって、全国の各大学当局にたいして休講措置やキャンパスへの立ち入り禁止を要請しておきながら、困窮する学生の救援策をとる大学当局に負担をおしつけ、授業料減免や緊急給付金の費用を政府として補塡することを拒否している。受給要件の極めて厳しい給付型奨学金制度を改めることも、政府による学生対象の直接給付もおこなわない。安倍政権が四月三十日に成立させた二五兆円の補正予算のうち「家計が急変するなどした学生への支援」なるものは、たったの七億円だ。給付の想定は全国でわずか二三〇〇人、大学・短大・専門学校生の総合計で換算すると一六〇〇人につき一人だ。困窮学生を切り捨てる安倍政権を断じて許すな！

しかも政府・防衛省は、大学生活を続けたいという切実な思いにつけこんで、卒業後に自衛官となれば学費を肩代わりする「貸費学生」制度を既存の理系三、四年生に加えて、文系学生、さらには一年生にも拡大しようとしている(『読売新聞』四月三十日付)。学生の貧窮につけいるという卑劣な「経済的徴兵」ではないか！　学生を血塗られた〈軍国日本〉の兵士に仕立てあげようとする安倍政権を許すな！

これまで安倍政権は、私立大学にたいしては経常費補助の削減と引き換えに「競争的資金」の比重を増やしてきた。「AI人材育成」などの独占資本家の利害を体現した安倍式「成長戦略」に呼応することを各大学に強いてきたのだ。生き残りをかけた私大当局は、「改革」資金の調達をもっぱら学費の高額化に委ねてきた。そのあおりを受けて学生たちはバイト漬けとなり、しかも悪質な有利子奨学金の返済に追いたてられてきたのだ。ただでさえ学生を貧困に追いこんできた安倍政権が、新型コロナ禍の犠牲を学生・労働者に集中させたうえで「コロナ収束後のV字回復のため」などと称する大企業支援策を繰りだすなど絶対に許してはならない！

早大生・全国の学生は安倍政権打倒めざして進撃せよ！

いま全学連のたたかう学生が、早大をはじめ全国各地で、貧窮する学生・労働者を見殺しにする安倍政権にたいする断固たる闘いに起ちあがっている。学生自治会や文化団体の執行部をになっている仲間たち、闘争委員会をつくりだしている仲間たちは、自治委員・サークル員たちとともに、安倍政権に学費無償化をつきつける闘いをまきおこしている。わが闘いに鼓舞された学生たちの学費減額

・半額を求めるネット署名は、全国二〇〇大学に迫り、海外で待機する学生にも急速に拡大している。

こうしたなかで、早大当局は、経済的に困窮する学生への一〇万円給付をはじめ、オンライン授業用の備品貸与など総額五億円の緊急支援策をうちだした（四月二十五日）。さらに続けて四〇万円給付の「早大緊急奨学金」を三倍増する計画を発表した（五月五日）。

全学連が文部科学省に怒りの拳（５月８日）

マル学同早大支部を先頭とするたたかう早大生は、生活補償なき「緊急事態」継続に反対し、安倍政権を弾劾する闘いを断固推進している。反戦の闘争委員会に結集する学生は、長期にわたってキャンパスも学生会館も閉鎖されたままオンライン授業というかたちで開講（五月十一日）を迎えたなかで、「大学生活をあきらめる学生を一人もだすな！」とよびかけている。たたかう早大生は、対面で学生同士が集まることができないという条件下にあっても、学生相互の連携をつくりだし、創意工夫をこらして闘いを推進しているのだ。

全国の学生諸君！　いまこそ連帯を強め、学費無償化をかちとるために巨大な運動をまきおこそう！　国公私立大学の一切の学費値上げ反対！　ただちに政府は、学生への生活補償を直接かつ無条件におこなえ！

首相・安倍は、「緊急事態宣言」下の憲法記念日に改憲派のネット集会へビデオメッセージをよせ、「緊急事態条項」創設ばかりか、〝自衛隊の新型コロナ対応の活躍〟なるものを引き合いにだし、九条改憲をわめきたてた。多くの人民が命をおとし、夥《おびただ》しい失業者が日々路頭になげだされていることなどおかまいなしに、「新型コロナ危機」を利用して改憲を呼号するネオ・ファシスト安倍を許すな！

学生諸君！　医療労働者を先頭に、たたかう労働者のみなさんはウイルス感染の危険と隣り合わせで働きながら、大量首切り・賃下げに反対する闘いを創造している。たたかう労働者と連帯してたたかおう！

いまこそ反戦闘争や反安保闘争、学費値上げ反対闘争を革命的に推進してきた伝統に立脚し、わがマル学同の真価を発揮してたたかおう！

いま〈パンデミック恐慌〉のもとで、日本、欧米、そして全世界で階級社会の悲惨と現代資本主義の〈巨悪〉がむきだしとなっている。独占資本家どもがウイルス感染拡大を呼び水にして兆単位の暴利をむさぼる裏面で、感染によって貧しき民が死に追いやられ、働く者が貧困のどん底に突き落とされているのだ。ウイルス感染の世界的拡大の震源地となった中国でも、ネオ・スターリン主義官僚政府の反人民的対応によって数多の人民が死に追いやられ、夥しい人民が生活苦にたたきこまれている。

このときに日共・不破＝志位指導部のように、「利潤第一主義からの転換を」「よりよい日本経済を」とかと現存資本主義社会の改良を求めることは無力であるばかりか、労働者階級の闘いを阻害する以外の何ものでもない。腐朽を極める現代技術文明を根底から覆す力は、労働者階級の国境を越えた団結にこそある。全世界の労働者・学生は、人民を奈落に突き落とす帝国主義諸国の政府と中国ネオ・スターリン主義官僚政府を打ち倒す闘いに決起せよ！〈パンデミック危機〉下のあらゆる犠牲転嫁に抗してたたかう戦闘的・革命的労働者と連帯して、マル学同早大支部は、最先頭でたたかう決意である。

学生諸君！　労働者階級と連帯してたたかうことによってこそ、新型コロナウイルスの感染拡大の危機を突破し、貧困も圧政も戦争もない輝ける未来を切り拓くことができる。いまこそ反人民性をむきだしにする安倍政権の打倒めざして進撃せよ！


（二〇二〇年五月十二日）

自動車独占体の賃金カット・雇い止め・首切りを許すな

根本省吾

新型コロナウイルスによる呼吸器感染症（COVID-19）の全世界での蔓延、これを抑えこむために各国権力者によってとられた都市と国境の封鎖、それは〈パンデミック恐慌〉とも呼ぶべき世界恐慌を招きよせた。全世界にはりめぐらされたサプライチェーン（部品供給網）の寸断と自動車市場の急激な・かつてないほどのおちこみとに挟撃された日本の自動車独占体各社の経営陣は、その規模と期間のちがいこそあれ、二〇二〇年四月に入ると各工場の生産ラインをいっせいに停止させることにふみきった。と同時に労働者に賃金カット、雇い止め、首切りの攻撃をかけはじめたのだ。

にもかかわらず、自動車総連中央はいまだに沈黙をきめこんでいる。絶対に許すことができない。自動車産業で働く戦闘的・革命的労働者は今こそ、労働者への犠牲の転嫁を許さない闘いを、職場深部から労働組合を主体として推進するのでなければならない。

生産ライン一斉停止——大混乱の自動車職場

「週明けから親会社のラインが〇日間止まります。このラインに関係する人は同じようにお休みになります。」「その後のことは親会社から連絡が来ていないので、わかりません。わかり次第伝えますので自宅待機してください。」

三月末から四月初めにかけて、自動車部品を製造する中小企業の工場で働く労働者たちの多くが現場職制や管理職からこのように声をかけられた。四月中旬には、当初数日間の予定であったライン停止が、一週間、十日間へと延びる。とりわけ夜勤従事者は長期間の出勤停止となっている。親会社が昼間しか稼働しないからだ。しかも、この「休み」は有給休暇なのか、出勤日の振替なのか、あるいは休業なのか、どのように処理するのかも確定していないのだ。組合役員はそれを確かめようともしない。四月、五月に契約更新をむかえた派遣労働者は、派遣元企業から他の会社に派遣先を変えられたり、契約そのものを打ち切られたりしている。その多くが外国人労働者だ。完成車メーカー八社すべてが四月から期間工の募集を停止している。中小企業のなかには正社員の希望退職を募る企業も一部ではあれ、ではじめている。

他方、経営者どもは「コロナ感染症の予防対策」と称して労働者管理を強めている。公共交通機関を使用しての出勤の停止。食堂での食事は向かい合わせでとるな、他の工場建屋の者とは同席するな、どのテーブルで食事したか、どのトイレを何回使ったか、昼休みはどこで過ごしたかを記録し、提出しろ。四月PCR検査(ウィルス遺伝子検査)にあたっては事前・事後に上司に報告・連絡・相談をしろ。コロナ感染症にかかる労働者をだすことは、企業の存続にかかわることだ、と経営者どもは観念しているのだ。

春闘も吹き飛んでしまった。三月末に妥結時期をむかえた中小企業職場では、「親会社の急激な減産下で経営環境が厳しい」との口実のもとに経営者どもが、ベース・アップ見送り、一時金の減額、労働条件の向上要求へのゼロ回答をつきつけてきた。最大手部品メーカーのデンソーも「コロナ危機」などを口実として一時金については満額回答を十一年ぶりに拒否した(要求の八・九一%減)。さらに中小企業でも大手企業でも冬の一時金の再協議すらちらつかせている。

「今後どうなるか分からない」……生産現場の労働者の一部には無力感すら漂いはじめている。自動車産業でこれまでたたかってきた良心的労働者たちは、リーマン・ショック時の苦にがしい記憶をよみがえらせ、経験のない若い労働者たちに伝えている。「なにも反撃しないならば、弱いものに一切のしわ寄せがくる」と。

パンデミック恐慌で未曽有の危機に陥った自動車各社

今回の生産ラインの停止は、コロナウイルスの感染者数が世界最多となったアメリカの急激な自動車需要の縮小（三月の新車販売台数は前年同月比で三七％減）に規定されているといえる。トヨタ自動車は北米向けの「レクサス」を主に生産している田原工場（愛知県）、トヨタ九州宮田工場を、日産自動車は北米向け「インフィニティ」を生産している栃木工場を、また売上高の対米依存度の大きいマツダ、スバルは各工場の生産ラインを、ほぼ一ヵ月にわたる長期の停止とすると決定した。アメリカ市場は四～六月期にはさらに販売が大幅に減少することは確実なのであり、ここにおいて日本の独占資本家どもは減産にふみきったのだ。

中国・武漢で発生したコロナウイルス感染症の拡大への対処として、中国国内の自動車工場のすべてが停止した。世界最大の自動車市場・中国での二月の新車販売台数は、対前年比八〇％減までおちこんだ。タイ、インドネシアなどの東南アジア諸国でも工場稼働率は三割までおちこんだ。自動車独占体は、サプライチェーンの寸断に直面したさいに、ＢＣＰ（事業継続計画）にもとづいて部品の複数発注や代替生産をおこなうことによって、国内生産への影響をなんとかしのいできた。だが、アメリカ市場のかつてない縮小によって在庫が積み上がりはじめた。ここにいたって国内生産をも停止せざるをえなくなった。まさに未曽有の危機に直面しているのだ。

トヨタ自動車経営陣は、三月末策定の国内生産の当初計画から四月は二割、五月は五割、六月は四割の減産を決定した。他の完成車メーカーもそれに追随するであろう。

　日産、三菱自動車は三月の売上減によって、二〇年三月期の最終損益が赤字に転落した。経営基盤の弱い完成車メーカーは経営危機に陥る可能性をも胚胎しているのだ。下請け諸企業はさらに経営基盤が脆弱であり、倒産・廃業の危機にさらされようとしているのだ。

　また、「CASE」（コネクテッド、自動運転、シェアリング、電動化）と呼ばれる次世代自動車開発のための投資が、完成車メーカーだけでなく部品企業にも重くのしかかっている。ライバルであるグーグルなどIT企業はコロナ禍でも増収増益であり、彼らの巨額投資による自動運転などの研究・開発に対抗しなければならないのだから。

　四月十日、自動車工業会など自動車工業四団体が記者会見を開き、自工会会長として豊田章男は「減産が続けば経営がたちゆかなくなる仲間も出てくる」、「その中にも未来にむけて絶対失ってはいけない要素技術や機械に真似できない技能を持った人材がいる」、これを守っていく（そのために事業ファンドをたちあげる）などと言い放ったのだ。これは、ちまたで言われているような「雇用維持の宣言」ではない。この＜パンデミック恐慌＞のなかで、自動車産業の生き残りのために下請け諸企業の「選別と淘汰」をおしすすめていくという宣言にほかならない。われわれはこの攻撃と真正面からたたかうのでなければならない。

沈黙する自動車総連中央を弾劾し職場から闘いを構築しよう！

自動車総連中央は、国内生産ラインの大規模・長期間の停止という攻撃が開始されてから、すでに一月余りたとうとしているのに、なんらの指針も提起していない。それどころか各単組執行部は生産停止をめぐって、経営陣と就業協定を結ばなければならないのだが、これについて総連中央も労連指導部もなんの指導もしていないのだ。その結果、多くの各単組執行部は経営陣の意のまま反労働者的な施策をうけいれてしまっているのだ。

経営陣は、「休業」による賃金カットや一年単位の変形労働時間制の締結、取得が義務づけられている五日間の有給休暇の強制的消化などの施策をつぎつぎとふりおろしてきている。こうした施策にたいする総連指導部の無指導は、単組執行部に会社施策に全面協力しろということを意味している以外のなにものでもない。

自動車総連出身の「連合」事務局長・相原康伸は、四月二十五日、厚生労働省に①雇用調整助成金の上限額の引き上げ、②不合理な解雇や雇い止めを防ぐために事業者への労働法令の周知、③休業手当の適切な支給を図るための監督・指導の徹底を求めたという。ふざけるな！　なぜ「不当な解雇、雇い止め」をおこなっている資本家どもにたいして抗議も弾劾もしないのだ。この攻撃とたたかっている単組を支援しない

トヨタの自動車組立生産ライン

のだ。賃金カットにたいして、「休業手当の適切な支給」などと主張しているが、たとえ「平均賃金の一〇〇％」が補償されたとしても、それは多くの労働者にとって三割近い賃金カットになるのだ(註)。最低賃金水準の雇用調整助成金の上限額（八三三三〇円）をひきあげたとしても、なんら事態はかわらないではないか。彼らは飼い主である独占資本家どもの負担の軽減しか考えていないのだ。

自動車職場で働く労働者諸君！「連合」・自動車総連指導部の腐敗した対応を弾劾しよう。「労働者は救済の対象ではない。解放の主体なのだ」このマルクスの言葉を胸に刻もう。労働組合を主体として闘いを構築しよう。期間工や派遣工などの非正規雇用労働者と連帯してともにたたかおう。賃金カットや首切りの攻撃を打ち砕け。この闘いをとおして、みずからの所属する労働組合の団結をより強固なものにしていこう！

註　労働基準法第二十六条では〝事業者の責任に帰すべき理由により休業させた場合、事業者は当該労働者の平均賃金の六〇％以上を支給しなければならない〟と定められている。ここでいう平均賃金とは過去三ヵ月の賃金総額を暦日数（総日数）で除したものをいう。たとえば、過去三ヵ月の賃金総額が六三万円であった場合、暦日数が九十日だとすると平均賃金は七〇〇〇円となる。ところで過去三ヵ月の暦日数ではなく、出勤日（実労働日数）が六十三日であったとすると当該労働者の日当たり賃金は一万円である。一日休業した場合、平均賃金の一〇〇％を補償されたとしても、七〇〇〇円しか支給されず、本来働いていたら支払われていたであろう一万円からすると三割分カットされることになる。

（二〇二〇年五月八日）

〔本誌掲載の関連論文〕

・自動車総連指導部の賃闘破壊に抗し闘いぬこう
　村山　武（第三〇七号）

・トヨタ生き残りに挺身する労働貴族
　同（第三〇六号）

・「競争力強化」に挺身するトヨタ労働貴族
　同（第三〇〇号）

・「現場力向上」を叫び春闘を歪曲する全トヨタ労連指導部
　紅　善行（第二九五号）

トヨタ下請け企業労働者に一時帰休の嵐

新型コロナウイルスの蔓延により、国内の自動車産業は、大幅な減産に追いやられている。私の働くトヨタの下請け部品企業であるA社もまた、主力車種の部品生産の受注を半減させられている。

そのことにより、A社は派遣労働者やパート労働者の多くを一時帰休させたのだ。期間は二〇二〇年の五月の一ヵ月とされているが、その先は分からない。「給料は最低でも、六割は保証する」と経営者は言っている。バカにするな！　オレたち非正規雇用で働いている者は、そもそも時給一〇〇〇円そこそこの賃金しかもらっていない。それなのに、それを四割カットしたら、とても食っていける給料ではないではないか！　オレたちに、「死ね」と言っているのに等しいではないか！　じっさい、ブラジルから来たSさんは、自分の首に手をあてて切るまねをして見せた。

四月からすでに、生産量が減少していたわが職場は、五月からさらに五割の減産になった。四月には残業規制によって、ほとんどが定時退社になったのだが、ここに来て、非正規雇用で働いている労働者は、私も含めてほぼ半数が一時帰休を命じられたのだ。

当初、会社からは、正社員を含め従業員全員を対象に、その日の予定の生産（カンバンで指定された生産）が終わったら、定時前でも退社し、その分の給料は「雇用調整助成金」を申請し補填すると言われていた。だが、生産量の回復は見込めないことから会社経営者は、非正規雇用労働者の五割にたいして、指名による一時帰休にふみきったのだ。そして、残った労働者には「定時に業務を終えることを目指してがんばれ」などと労働強化を強制しているのだ。

しかも許せないことに、こうした会社の施策に労組執行部は、〝組合員には残業規制の攻撃がかけられているとはいえ、雇用そのものには手をつけていない〟という口実をもって、沈黙し何らの対応もしていないのだ。会社の生き残り策に協力する組合執行部を許さないぞ。

残業規制反対！　一時帰休反対！　共に闘わん

すでに三月以降、新型コロナウイルスの感染拡大による影響で、トヨタ自動車は一部工場の生産停止に追いこまれていた。そして、五月の連休の前後二日を振替休日（半分は七月以降の土曜に当てる）にするなど国内十五の工場で稼働停止や夜勤中止にふみきった。その後、生産停止していた工場は再開したとはいえ、五月から六月にかけて当初の国内生産計画から四～五割を減産することをうちだしている。国内外の自動車販売の低迷によって、大幅な生産調整に踏みこまざるをえなかったのだ。

私の職場では、すでに三月末には一部の派遣労働者が雇い止めにされ、他の非正規雇用労働者の職場内異動などもあった。トヨタの下請け企業の多くは、親企業であるトヨタの大規模な生産調整による受注減によって被る損失を少しでも減らすために、さらに一時帰休に手をつけてきたのだ。これが、いつまで続くか分からない。私たちも雇い止めになるかもしれない。さらには、正社員にも手をつけていくかもしれない。まさに、下請け企業の資本家どもは、労働者に犠牲を転嫁することによって、この危機をのりきろうとしているのだ。

そもそも、非正規雇用労働者はつねに〝雇用の調整弁〟として扱われてきた。だから今回も、リーマン・ショックのときと同様に、真っ先に解雇（雇い止め）の対象になる。まさに使い捨て！　まったく人間として認められていないのだ。私自身は非正規雇用の立場であるけれども、そして今は休業に追いやられているのだけれども、多くの組合員や非正規雇用の労働者にたいして、様ざまな機会をつうじて、あらゆる手段を駆使して、〈残業規制反対！　一時帰休反対！〉の闘いにたちあがることを呼びかけて奮闘することを決意している。共にたたかわん！

S・A

〈パンデミック恐慌〉下――鉄鋼資本の大リストラ攻撃

堅井博光

許しがたいことに安倍政権と独占資本家どもは、〈パンデミック恐慌〉ともいうべき画歴史的な危機を、「無産階級」の労働者に一切の犠牲を転嫁してのりきろうとしている。

素材産業である鉄鋼の大手企業では、自動車などの鋼材需要産業の生産休止によって在庫が急激に積み上がり、つぎつぎと高炉の一時休止へと追いこまれた。資本家どもはこの大規模減産の危機をのりきるために、「特別代休制度」(後述)の復活や一時帰休などの賃金カットの攻撃を鉄鋼労働者にふりおろしているのだ。

だが鉄鋼資本家どもは、新型コロナウイルス感染症のパンデミックへの「緊急減産対応」のためだけに高炉の一時休止を強行しているのではない。彼らは、米中貿易戦争下で景気が後退しつつあった中国の企業が大量の鋼材を世界市場に低価格で輸出してくることに対応するために、大リストラ計画を今二〇二〇年二月に策定し発表したばかりであった。その矢先に、パンデミックによる自動車などの緊急減産に追いうちをかけられ、危機感を高じさせているのだ。日本製鉄やJFEスチールなどの大手高炉メーカーの資本家どもはこのおり重なる危機をのりきるために、すでに発表した事業再編計画（高炉などの主要生産諸設備の廃棄を柱としたそれ）を前倒しで実施するだけでなく、「製造基盤のスリム化・強靭化」と称してよりいっそうの大リストラを強行しようとしているのである。

われわれは、〈パンデミック恐慌〉のもとで進められている鉄鋼の独占資本家どもによる〝二十一世紀現代の大リストラ〟ともいうべき攻撃の背景と構造を暴きだし、これへの全面協力を早ばやと宣言している労働貴族を弾劾し、職場生産点から反撃の闘いを断固として創造していくのでなければならない。

一　わずか三ヵ月で行きづまった日鉄資本の「事業再編計画」

日本製鉄の資本家どもは五月八日に、二〇年三月期の最終損益が過去最大の四三一五億円の赤字になったと発表した。あわせて彼らは、「コロナの影響で生産・販売とも底割れした」などと顔面蒼白となって語り、一時休止する高炉を三基から五基へとさらに拡大することもうちだしたのであった。

すでに四月九日には経済産業省が、今年四～六月期の国内粗鋼生産見通しが前年同期比二五・九％減の一九三六万トンとなると発表し、さらに落ちこむ可能性も示していた。これは、〇八年のリーマン・ショック後を上回り、一九八五年のプラザ合意後の鉄鋼大不況時にも匹敵する大幅な落ち込みである。これをも受けて日本製鉄の社長・橋本英二は、五月八日の会見で「新型コロナが九月末までに収束しても、〔中国の過剰な生産リスクで〕わが国の年間粗鋼生産量は一億トンを大きく割りこみ八〇〇〇万トンを下回る」「足元の稼働率は六割ギリギリだ」と〝鉄鋼産業の危機〟をがなりたて、高炉の一時休止の拡大を発表したのである。

日本製鉄の資本家どもは、「コロナの発生前は〔構造改革の効果で〕二〇二〇年度の黒字化にメドをつけていた」などと自己弁護に汲々とするとともに「本来、伸びるはずの需要も期待できない。未曽有の危機だ」「上期は大幅な赤字が避けられない」とボヤいてみせた。彼らは、二月七日の時点でうちだした事業再編計画（本誌第三〇七号　紅研吾論文参照）では収益を改善する目途が立たなくなり、早くもゆきづまってしまったのだ。

すでに彼らは、〈パンデミック恐慌〉が生起する前から「（イ）海外市場での中国に関するリスク（ロ）日本国内の人口減少（ハ）製造基盤の老朽化」の「三重苦」をあげつらって、「最適生産体制構築の早期実現」を叫んできた。彼らは、「過去の危機とは違う。中国メーカーの存在感が極めて大きい」などと危機感を吐露し、同時に彼らは、東日本大震災の復興特需も東京オリンピック特需も終わったこの時点でまたぞろ「少子化」の問題や、十年も前からわかっていた生産諸設備の老朽化までもちだし、「当社の生産能力は大きすぎる」「すべてを更新するだけの経営資源はない」などと大規模なリストラの実施を公言したのだ。そして二月に、老朽化し過剰となった生産諸設備を潰し（呉製鉄所の二三年の閉鎖や小倉、和歌山の高炉の休止など）「競争力のある製鉄所を中心」とするという事業再編計画をうちだしたのであった。「ボリュームゾーン〔ミドルグレード〕でも勝負する」として粗鋼生産能力の拡大を追い求めてきた彼らの企業経営路線が完全に破綻してしまったからである。

彼らは、一五年度からの三年間に続けてさらに一八年度からも、内容積五〇〇〇立方メートルクラスの巨大高炉とその操業技術を武器として「上工程の競争力ではまだ優位にある」などと豪語しつつ、「〔四〇〇〇万トン以上の鋼材輸出をあてこんだところの〕国内企業あわせての年間粗鋼生産一億トン」を大前提とした中期経営計画を策定してとりくんできた。彼らは、設備投資に必要な巨額の資金を捻出するために保有株や土地なども売却しつつ、「国内製造基盤の強化」にむけて製銑や製鋼工程の巨大生産諸設備の改修や更新に年間四〇〇〇億円以上もの資金を投入しつづけてきたのであった。

だが、政府の国策に支えられた中国の製鉄企業が鋼材を増産しつづけることによって鉄鉱石などの原料価格が高騰するとともに鋼材価格は低迷した。米中貿易戦争の激化による景気後退にあえぐ中国・習近平政権が、雇用対策・景気対策のためにインフラ投資を拡大し鋼材の増産政策をとったからである。この中国の増産に直面して、「異次元の金融緩和」などのアベノミクスに踊らされた日鉄資本の企業経営路線はアベノミクスとともにぶざまにも破綻した。社長・橋本は、〝円高の是正による収益の改善で「本来の実力が見えなくなり、合理化が遅れた」〟などと言い訳し、それを認めている。

許しがたいことにこの男は、周囲には「オレは嫌われてもいい」などと居直り、〝生き残り〟のために製鉄所閉鎖などの大リストラにふみきった。そして、「三十年、五十年先も戦えるための『第二の創業』をするときにきていた」などと大風呂敷を広げて、この事業再編計画を宣伝してもいたのが二月までの橋本らであったのだ。

だが〈パンデミック恐慌〉に直撃され、この事業再編計画の発表からわずか三ヵ月で、この計画では新たな危機をのりきることができないことを突きつけられた。そうであるからしていま彼らは、主要生産諸設備の廃棄を柱としたこの事業再編計画を前倒しするだけでなく、よりいっそうの「製造基盤のスリム化・強靭化」と称するさらなる大リストラにも着手したのである。

二　再編計画の〝前倒し〟としての高炉一時休止

〈パンデミック恐慌〉に直撃された日本製鉄が一時休止する高炉は、①四月中旬からの東日本製鉄所・鹿島地区の鹿島第1高炉、②四月下旬からの関西製鉄所・和歌山地区の和歌山第1高炉、③五月中旬からの東日本製鉄所・君津地区の君津第2高炉、そして④七月上旬からの室蘭製鉄所の室蘭第2高炉と⑤九州製鉄所・八幡地区の小倉第2高炉の、あわせて五基である。

こうして五基（すでに二月中旬から一時休止に入

っている呉第2高炉も含めれば六基）もの高炉をつぎつぎと一時休止させるのは、残り九基の高炉も含めてすべてにおいて減産を限度一杯まで実施してきたからである。高炉操業においては二割減産が技術的な限界であり、それ以上に出銑量を絞って減産するには、一部の高炉を休止して残りの高炉の稼働率を高める方法をとるしかないのだ。

〔高炉大手企業のJFEスチールでも、四月末を目途に西日本製鉄所・倉敷地区の倉敷第4高炉の改修工事に前倒しで着手して一時休止に入り、六月末からは西日本製鉄所・福山地区の福山第4高炉でも一時休止に入ると発表し、残りの六基の高炉でも減産に入っている。二基の高炉を持つ神戸製鋼所でも加古川製鉄所の高炉一時休止が検討されている。〕

高炉の一時休止といった今回の計画を、二月に発表していた事業再編計画との関係でとらえかえすならば、次のことが明らかとなる。

すなわち当初計画では、和歌山・第1高炉（②）の休止は二年先の二二年九月であり、小倉・第2高炉（⑤）の休止は二〇年の九月であった。日鉄資本家は、「結果的にそのまま休止せざるをえない設備もある」（社長・橋本）などと語りつつ、これらの当初計画を前倒しして一時休止に入るのだ。こうして関西製鉄所・和歌山地区と九州製鉄所・八幡地区では、早くも高炉一基体制（註1）となる。高炉一基体制である室蘭製鉄所の室蘭・第2高炉（④）も高炉そのものの改修計画を前倒しにして一時休止に入る。そればかりではない。彼らは、当初計画にはなかった鹿島・第1高炉（①）に加えて君津・第2高炉（③）までも、一時休止にするとしている。こうすることによって、日本製鉄の東日本製鉄所では君津地区と鹿島地区がそれぞれ高炉一基ずつの高炉一基体制となるのである。さらに彼らは、厚板ミルを休止する名古屋製鉄所でも、トヨタのお膝元の製鉄所であるがゆえに自動車産業の国内事業再編の動向をにらみつつではあるが、老朽化が進んでいる第3高炉を休止して高炉一基体制としていくかもしれない（註2）。

このようにして日本製鉄の資本家どもは、鋼材の輸出拠点として九州製鉄所・大分地区だけに高炉二基を残し、その他の製鉄所では超ハイテン鋼板や電磁鋼板などの高級鋼と国内向け汎用鋼の生産に特化した高炉一基体制にしていくことを構想していると思われる。

　巨大化した中国企業の輸出増によって将来的には日本の鋼材輸出量は約四〇〇〇万トンから二〇〇〇万トンへと、そして国内需要は少子高齢化によって六〇〇〇万トンから四〇〇〇万トンへとそれぞれに激減する、と独占資本家どもじしんが描いてきた鉄鋼産業の近未来の〝予想図〟が、新型コロナのパンデミックにより一挙に早まり、現実のものとして目前にせまっているからである。

一時休止になる日鉄室蘭製鉄所第２高炉

　いま、〈パンデミック恐慌〉によって世界的に鋼材需要が激減している鉄鋼市場には、巨大な生産設備・生産能力を持った中国企業の国内市場で過剰となったミドルグレードの汎用鋼材が大量にあふれている。自国に鉱山を有するインドやロシアの鉄鋼企業ばかりでなく競争力のある中国企業が、低価格で輸出攻勢を強めてくるのは時間の問題である。

　中国企業は、すでに世界の年間粗鋼生産量一八億トンのうちの一〇億トンを生産している。中国政府は、年間一億トンもの粗鋼生産能力を持つ国営の宝武鋼鉄集団を中軸にして国内鉄鋼産業を再編・強化していくために、コスト競争力のある最新鋭の製鉄所建設を――〈パンデミック恐慌〉にもかかわらず――進めている(註3)。そればかりではない。日本からの輸出先であった新興国でも、今や世界第二位の粗鋼生産国となったインドやベトナムをはじめとして「鉄鋼の国産化」が強まり、国策として粗鋼生産能力の拡大を追求している。「一帯一路」経済圏構想をかかげる習近平政権からの支援を受けた中国企業によってシンガポールやマレーシアなどＡＳＥＡＮ地域でも、二～三年以内につぎつぎと製鉄所が本格稼働してくる。〈パンデミック恐慌〉から景気が回復するかどうかも見通せないにもかかわらず、世界の鉄鋼生産は拡大する一途なのだ。

こうして、日本の製鉄所の上工程で汎用鋼の半製品を生産して海外に建設した下工程の冷延工場などに輸出し、そこでミドルグレードの自動車向け鋼板や建設向け鋼材に加工していくというこれまでの経営路線では、もはや国際競争力を持ちえない。しかも高級鋼の品質においても日本の鉄鋼製品は、ＡＩ（人工知能）を活用した最新設備を導入した韓国や中国の企業などの追い上げを受けているのであって、これまでの〝強み〟は薄れつつあるのだ。

鉄鋼の独占資本家どもは、新興国の高炉一貫製鉄所への直接投資による現地生産・販売方式へと経営路線を転換しはじめた。すなわち「向こう五年間ぐらいのＡＳＥＡＮの成長、インドの成長を先取りする構えはすでにできている」（日鉄・橋本）などと強弁してきた彼らは、成長市場のインサイダーとしてより積極的に進出しようというのである。そのために彼らは、海外にある合弁の製鉄所（註４）で粗鋼生産を拡大する他方で、老朽化し過剰となった日本国内の生産諸設備を休廃止していくという・さらなる大規模リストラへと舵を切っているのだ。

コンビナートをなす製鉄所の高炉を休廃止することは、関連諸設備もすべて不要となる。呉製鉄所や小倉製鉄所そしてＪＦＥスチールの京浜製鉄所でも、高炉休止にともなって原料ヤード設備・コークス炉・焼結機・転炉・連続鋳造機など上工程のすべての生産設備が休廃止される。いやそれだけでなく、製鉄所関連の一次・二次下請け企業や関連企業の廃業・倒産を強制するものにほかならないのであって、何千何万という労働者を〈パンデミック恐慌〉の大嵐のなかに放り出すのが、いま進められつつある大リストラにほかならない。まさにこのことは、わが国造船産業の衰退を決定づけた一九七〇年代後半の船台やドックなどの大規模な設備削減にも匹敵する画歴史的な産業再編であり、〝二十一世紀現代の鉄鋼大リストラ〟というべきものなのである（註５）。

固定設備の削減は同時に、労働者を削減することが目的である。なぜならそれは、「不変資本部分の縮小によって、総資本を縮小し、利潤率の回復をはかるためのものであるが、それだけでは利潤量の増大にはつながらない」「それは可変資本部分の縮小によってはじめて実現されるのだからである」(黒金哲男・前尾進吾『減量経営とは何か』こぶし書房刊、三四頁)

三　人員大削減攻撃に反対する闘いを創造しよう

すでに日本製鉄の資本家どもは四月一日に、全国の十六製造拠点を大括りにして六つの製鉄所へと組織統合をした。いまこの六製鉄所体制のもとで彼らは、本社・管理部門も含めて「重複し付加価値を生み出さない」とみなした部署や工場を潰して、大量の労働者を削減する攻撃に着手している。

彼らは、統合され休止される部署や生産設備で働く労働者に「計画の対象にかかわる皆さんに責任は一切ありません」「皆さんの雇用は必ず守ります」などとくりかえし説明している。だが彼らは、労働者とその家族の生活基盤が根底から破壊されることなどおかまいなしに、遠隔地配転や出向・転籍・希望退職などを強制し、それをもってぬけぬけと「雇用を守ります」などと強弁しているのである。それは、雇用の〝場〟だけは提供する、それがいやなら退職しろ、というものでしかないのだ。

しかも、日鉄の資本家どもは収益の「未曽有の悪化」を口実にして、今二〇春闘では労働組合からのわずかな賃上げ要求も蹴とばし、向こう二年間の「ベースアップ・ゼロ」回答を強行した。さらに業績連動型決定方式の〝有効性〟を最大限に活用して、一時金も大幅に減額した。

そしていま彼らは、大規模減産にともなう「緊急措置」と称して、労働者に一時帰休を強制したり「特別代休制度」を復活・適用したりして賃金カットの攻撃をふりおろしている。約三万人の労働者全員を対象とする「一時帰休の実施」は、一ヵ月に二

〜三日の休日を配置して、日額分の基本賃金を二割カットするというものである。そして「特別代休制度」は、時間外労働の抑制を前提とするもので、それでも時間外労働時間の累積が一労働日（七時間四十五分）を超えたら一日の「特別代休日」を強制的に付与する制度である。これは、トラブル処理などで〝呼び出し〟（四組三交替の職場では、〝呼び出し〟がくりかえされている！）や残業を強制しておきながら、ヒマになったら代休を取らせて一日分の基本賃金をカットすることによって労働者には残業割り増し分だけの手当しか支払わないという悪辣な〝賃金カットの方式〟なのだ。

この「特別代休制度」の復活は、時間外労働の抑制（残業規制の強化）とセットで実施されている。資本家どもは「『働き方改革』にとりくんできたが具体的な改善に至っていない」「減産によって生じる余力を活用して、生産量が回復した際の準備をすすめたい」などとＩＴ技術をも活用して省人化や労働現場での労務管理をさらに強化しているのである。彼らは、労働者に「業務の見直し・棚卸し〔＝業務仕分け〕」や「不急の業務の延期」、さらには「会議の所定時間内での実施」などを強要してよりいっそうの労働強化を強制しているのだ。

にもかかわらず、労働組合指導部を牛耳っている鉄鋼の労働貴族どもは「〝大幅減産に対応した今回の労務施策」は「〔痛みをともなう〕国内最適生産体制に向けた構造改革とは性質が違う」〟などと言って、早ばやと「冷静に受けとめる必要があり、協力しなければならない施策である」と全面的協力を表明している。許しがたいことに彼らは、「この難局を乗り越え経営基盤を強くしなければ、働く者の将来生活は安定しない」などと組合員を恫喝さえしているのだ。このように彼らが〝企業の生き残り〟を第一義としてしまうのは、〝「魅力ある労働条件づくり」と「産業・企業の競争力強化」との好循環の創造〟なる「労使運命共同体」イデオロギーを基本理念としているからである。

われわれは、日本の鉄鋼独占資本家どもがいまふりおろしている大リストラ＝人員大削減攻撃に反対する闘いを、労働貴族どもを弾劾しつつ、そして下請けの中小企業労働者との階級的連帯を創造しつつ職場生産点から断固として創造していくのでなければならない。同志諸君！　労働現場において過酷な疎外労働を強制され厳しい労務管理・コスト管理のもとで苦悩し呻吟している労働者たちに、そして工場閉鎖によって職場そのものがなくなり生活不安に動揺し・反発し・怒りにふるえている労働者たちに、「雇用主に期待され労働報酬を期待する」即自的な被雇用者意識からの脱却をうながし、組織的に団結してたたかうべきことを呼びかけるイデオロギー的＝組織的闘いをよりいっそう強化していこうではないか。

註1　代替のない高炉一基体制では、高炉操業が不安定になるとコンビナートをなす製鉄所全体への生産影響が大きくなる。しかも、原料ヤード設備をはじめとして高炉の関連諸設備はそのまま残るので、高炉一基あたりの固定費負担が大きくなりコスト競争力は低下する。

註2　六月五日に日本製鉄は、約四九〇億円を投じて二年後の二二年一月から第3高炉の改修をはじめると発表した。だが、操業トラブルをくりかえしている名古屋製鉄所で今後も高炉二基体制をつづけられるかどうかは不明である。

註3　鉄鋼業の構造調整を進めている中国では、粗鋼生産量の拡大が厳しく制限されている。「グループ粗鋼生産量一億トン」を目標に掲げる宝武鋼鉄集団では、グループ内の旧設備を廃棄しつつ、湛江製鉄所での高炉増設や最新鋭の粗鋼生産二〇〇〇万トン規模の塩城製鉄所建設にも着手し、そして「〔二年以内の〕海外展開を目指す」ことも公表している。

註4　日本製鉄は、昨一九年の十二月に約三一〇〇億円を拠出してインドのエッサール社を買収し、アルセロール・ミッタルとの共同経営に踏みだしている。ＪＦＥスチールも、鉄源拠点として活用していくためにベトナムのＦＨＳ社に出資し、ベトナムでの高炉建設を進めている。

註5　今日の鉄鋼産業では、高度ＩＴ技術を活用した技術諸形態を生産過程や業務過程・流通機構に導入しつつ事業再編が進められている。われわれはこれらの現状について、組立加工の造船産業と素材産業であり装置産業でもある鉄鋼との産業的特殊性の違いにふまえつつ、さらに分析を深めていかなければならない。

「デジタル革新」のための労使協議への陥没
――電機連合指導部を弾劾せよ――

立原根太

コロナ・パンデミックのもとで、労働者・人民は安倍政権の無為無策により極限的な困窮と苦痛を強いられている。電機をはじめとする日本独占資本家どもは、大不況の進行に怯え一切の犠牲を労働者に転嫁しつつ、この危機を「日本社会のデジタル化」の転機とするために、あらゆる既存「社会システム」を「創造的に破壊していく歴史的転換の年」とすると宣言し意気ごんでいる。これにたいして電機連合委員長・野中孝泰は、雇い止め・休業・解雇の嵐に晒《さら》されている労働者の現実を意に介することもなく、「危機が終わった時、日本は国力を高めているだろう」などという〝親日経済学者〟(ジャック・アタリ)の戯言をわが意を得たりとばかりに紹介して、組合員に〝国民一丸となって難局をのりきろう〟と説教をたれているのである。

この電機連合指導部を牛耳る大手企業労組指導部は、今春闘において「賃金水準改善額一〇〇〇円以上」のハドメ(回答引き出し基準＝闘争回避基準)を満たしたとして、経営者どもが提示した超低額の「賃上げ」回答を受け入れた。この結果について彼らは「コロナ感染拡大の影響が増し経済の下振れ懸念が広がるなかで、これに歯止めをかけ労使で相場形成の役割と責任を果たした」などと自画自賛した。だがそれは超低額であり、独占資本家どもが求めた企業業績と人事評価にもとづいて企業間・労働者間で賃上げ額に差をつけるという施策を全面的に受け入れたものなのだ。許せないではないか。

われわれは、「パンデミック危機」を口実とした賃金カット・解雇の攻撃を唯々諾々と受け入れ労務管理強化の施策に協力する「救国」産報運動の尖兵＝電機連合労働貴族を弾劾し、電機労働運動の戦闘的再生のために奮闘しようではないか。

一 「春闘の破壊」に狂奔した電機労働貴族

「柔軟性」の名において統一妥結を放棄

去る集中回答日（二〇二〇年三月十一日）に電機大手企業の経営者どもは、「開発・設計職基幹労働者（レベル4）」の「賃金水準改善額〔引上げ額〕三〇〇〇円以上」という電機連合の「統一要求基準」にたいする回答を示した。日立とシャープが一五〇〇円、三菱電機・富士通・富士電機が一〇〇〇円、東芝が一〇〇〇円＋語学学習や資格取得などの社内ポイント三〇〇円分で計一三〇〇円、パナソニックが五〇〇円＋拠出型年金の掛け金五〇〇円を含め計一〇〇〇円、NECが五〇〇円＋福利厚生のポイント五〇〇円分で計一〇〇〇円などという、それぞれで異なる超低額の回答であった。ところが、これら各社で異なる回答を、電機連合指導部は「妥結の柔軟性」の名において受け入れ、各社労組は妥結したのである。これが今春闘の特徴の第一である。

電機連合委員長・野中は、コロナ感染拡大の「非常事態という状況下」であったが「労使で相場形成にたいし役割と責任を果たした」などと電機経営者に感謝の意を表しつつ、労働者の生活改善に寄与できたかのようにおしだしている。ふざけるな！ なにが「組合員の期待と社会的要請に応え評価できる」だ。五〇〇〜一五〇〇円の引き上げ額（率にして〇・三%前後）は、物価上昇率にも消費税増税分二%にも遥かに満たないではないか。各社バラバラの、しかも教育研修費や年金拠出金の企業負担分なども含めて、なにが賃上げだ。冗談じゃない。

　この結果は、電機連合指導部が、今春闘にむけて「統一闘争の再見直し」をおこない、「人への投資の柔軟性」の名のもとに「一定の条件を満たした場合は『妥結の柔軟性』を認める」として「賃金に類似性の高いものは認める」（野中）と決定したことの帰結なのだ。

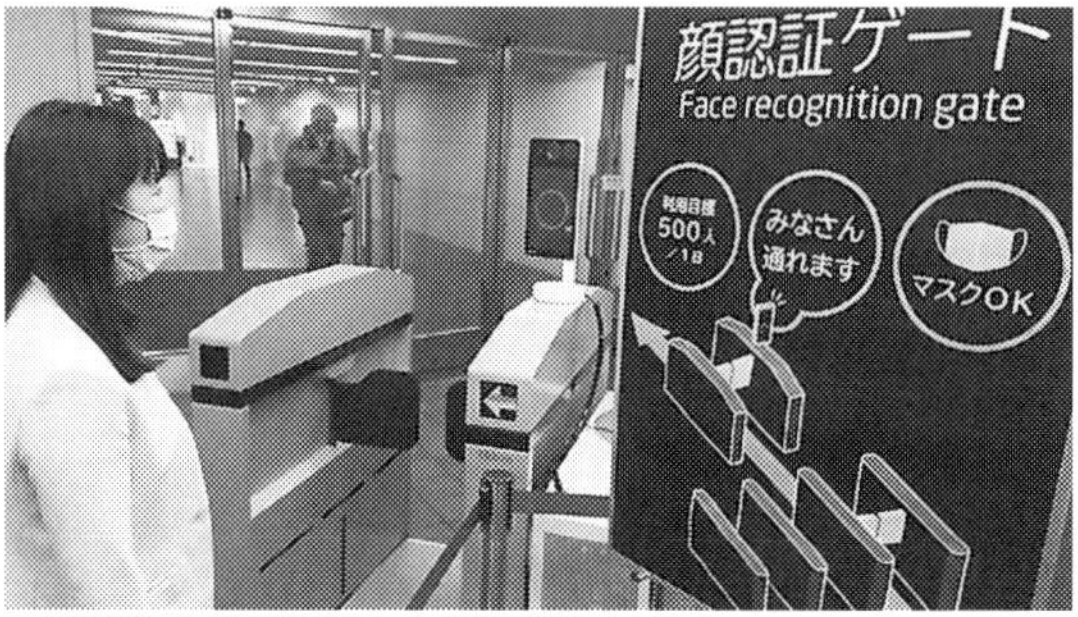

電機独占体が開発した顔認証システム

　彼らは、昨一九春闘で電機大手経営者どもに〝電機産業といっても業種はさまざまで業績も違い横並びの回答はありえない。企業業績や人事・労務施策の違いなど自企業の実情に応じて差がつくことを是認せよ。「人への投資の柔軟性」を認めるべきだ〟とおしこまれた。これを受けて野中は、この「妥結の柔軟性」について「水準の柔軟性」だの「項目における柔軟性」だのと説明したり、ハドメを「一〇〇〇円以上」としたのは「バラついても上に行けるところは行ってしまおうということだ」などと屁理屈をこね、もって上げ幅（絶対額）で「統一妥結」することの放棄を居直っているのだ。

ジョブ型制度導入をめぐる協議への陥没

　第二の特徴は、今春闘の労使交渉が、「高度人材獲得」と「ジョブ型雇用拡大」のために、それにふさわしい採用・人事・賃金の諸制度（雇用形態や人事考課、賃金支払い形態など）をめぐって協議する場とされたことである。

　今春闘では、大学卒初任給を統一要求額の四〇〇

○円にたいして大手経営者がそろって三〇〇〇円の引き上げ回答をした。そのなかで、ひとり富士通経営者は、「優秀な人材獲得」のために〝破格〟の一万二五〇〇円の引き上げを回答した。他労組の幹部から「抜け駆けだ」との声がでたが、当該労組幹部は、「その背景となる課題認識は労使共通であり異例だが受け入れる」とうそぶいた。

富士通では、すでに「高度人材処遇制度」と「ジョブ型人事制度」への改変をめぐって労使協議を重ねている。「抜け駆けだ」とわめいた日立の労組幹部も、すでにジョブ型制度の導入にむけ、必須となる「職務記述書」の検討・精査などを経営陣と協議してきた。ＮＥＣやパナソニックも、新卒・中途を問わない「高度技術人材」の採用枠を設けることを労使合意し募集を開始している。

「デジタル革新（ＤＸ＝デジタル・トランスフォーメーション）」への対応の遅れに焦る電機独占資本家は、ＡＩ（人工知能）・ＩｏＴ（モノのインターネット）・ビッグデータなどの先端デジタル技術を駆使した製品やそれを活用した運用サービスを提供する新規事業で生き残っていくために「優秀なＡＩ人材」や「先端技術を活用し社会や顧客の課題を解決しながら新規市場を開拓する人材」の獲得に血眼になっている。他方で、それ以外の労働者の賃金は「年功的要素」を一掃して徹底的に切り下げる。そのために電機資本家どもは、事業再編などで仕事が無くなれば解雇も容易な「ジョブ型人事処遇制度」を総額人件費の削減と労務管理の強化の観点から導入しようとしているのだ。

これに積極的に呼応して電機連合労働貴族は、昨年の定期大会で、年功的要素を排し労働者の賃金をいくらでも下げることができる「スキル・専門性の高まりと担う職務・役割」に応じた「賃金制度」や「高度人材」には最初から高額を提示できる「賃金制度」をもりこんだ「第七次賃金政策」をうちだし、これをもって今春闘に臨んだのである。まさに、「日本型雇用の見直し」の具体策を全産業の最先頭で協議・実現しているのが電機労使なのである。

テレワークの一挙的拡大の後押し

第三に、労使双方が「いきいきと働ける職場環境づくり」を掲げて、労働者の「仕事にたいする誇りや挑戦心をひきだす」ための「働き方改革」なるものをめぐって協議してきたことだ。今春の交渉では、子育てや看護・介護のための「短時間勤務」の適用や「時間単位の休暇」の取得などが「柔軟な働き方」の名において労使合意された。

それればかりではない。大手企業労組が妥結承認の手続きをとっているさなかに、〝働かせ方改革〟の「多様で柔軟な働き方」の目玉とされてきたテレワークが、政府の「コロナ感染拡大防止対策」としての「在宅勤務」要請を受けて一挙に拡大させられた。テレワークの対象となった労働者は、自宅に通信機能をもつＩＣＴ機器（パソコンなど）の設定、ネット会議システム等々のソフトのインストールなどのインターネット環境を急きょ整えさせられ手間どっただけではない。パソコンの入り切り、離席在席状況、キーボードをどれだけ操作したかやスピード、情報検索の回数や内容などが、管理者から一目瞭然となる。ソフトによっては操作者の〝思考法〟までＡＩによって分析され〝指導〟されるのだ。このように個々の労働者は、すべてを会社から管理・監視され精神的肉体的苦痛を強いられる。しかも、テレワークをうまくこなす者とそうでない者、定型業務に甘んじる者か企業にとって価値のある新たな業務への意欲がある者かなどを選別・評価され、これが今後の首切りに追いこむ際には労務管理・人事評価の手段として活用されるのだ。すでに日立などの電機独占体の資本家的経営者は、「テレワークには成果に基づく評価がふさわしい」と称してジョブ型の成果主義的な賃金支払い形態の導入を急ぐことを決定したのだ。

　これにたいして委員長・野中は、テレワークを「緊急避難的な仕事のやり方としてではなく、平時における新しい働き方」としてとりくむべきだと電機労働者の尻をひっぱたいている。電機資本家と同様に、テレワークだけではなく、販売・流通、医療分野や教育現場のオンライン化など、経団連のいういわゆる「社会のデジタル化」が一挙的に普及するチャンスととらえ、これを後押ししようとしているのである。野中は、電機労働者にたいし、「生産性の精神」は「効率・能率」に偏重するのではなく、

「高付加価値をうみだす」ためにスキルを高めつづけ「生きがい、やりがいをもっていきいきと働く」ことだと説教をたれている。電機労働者を生産性向上にまい進させようとしているのだ。

冗談じゃない。電機労働者は、このかん「働き方改革関連法」の「時間外労働の上限規制」に対応して「残業時間の削減」を強制されてきた。労働者は、仕事量は変えずに残業時間を減らされて極限的な労働強化を強いられ、しかも残業代が減って手取り収入が激減させられた。そのうえ今、休業や操業短縮によって基本賃金さえもカットされているのだ。さらに今後、資本家どもは大不況をのりきるために、コロナ対策として一気に広げた「業務のリモート化・オンライン化」をテコとして人員削減をおしすめたり、事業再編にともなう大量首切りという攻撃を労働者にしかけたりしようとしている。ところが、これらを〝「新しい働き方」として享受せよ、残りたかったら必要とされる人になれ〟と後押ししているのが電機労働貴族だ。決して許してはならない。

「感染対策」を口実とした職場集会の放棄

第四の特徴は、電機連合指導部が、ウイルス感染拡大防止を口実にして、各級闘争委員会を中止したり参加人員を絞ったりネット参加で済ませたりして春闘のとりくみを形骸化させたことだ。各単組でも、わが仲間たちの奮闘にもかかわらず、組合員への朝ビラ配布の省略、交渉経過や回答結果を報告・討議する職場集会の開催を放棄する組合が続出したのだ。

特徴的には、電機連合中央はハドメを決めた三月九日の中央闘争委員会において、例年ならば同時に決定する時間外・休日勤務拒否の「闘争行動」方針を決めなかった(回答指定日後の三月十六日に決めるとした)。彼らは〝経営者とたたかう〟ポーズすらとらず、あらかじめ組合員にたいして〝どのような回答であっても受け入れる〟と示したのだ。それは、戦闘配置および闘争形態も労使協調にふさわしいものにさらに変えていくと組合員にむかって宣言したことを意味するのである。

二 コロナ危機下での大量人員削減を許さず最後までたたかおう

まさに今二〇春闘は、米中貿易戦争やイギリスのEU離脱、消費税増税による国内経済の減速、それに加えてコロナ・パンデミックによる〝需要の蒸発〟などの経済危機の激震にみまわれて危機意識を高じさせた電機独占資本家、彼らにつき従う労働貴族どもの大裏切りによって、〈日本経済と電機産業の持続的成長〉のための「救国」産報運動へと大きくねじ曲げられた。

彼ら電機労働貴族は、「社会的責任型春闘」を標榜して、「持続可能な社会の再構築」のための、つまり国・電機産業・企業が生き残っていくための課題や方策を労使で話しあうことに埋没したのだ。労組そして組合員は〝企業・社会の利害関係者（ステークホルダー）〟として企業・社会に奉仕するという考え方——労使政協議路線・階級宥和主義に貫かれたそれ——にどっぷりと浸りこんでいるのが、労働貴族なのだ。

わが仲間たちは、電機連合指導部の闘争歪曲を左翼的にのりこえ一律大幅賃上げを獲得するために奮闘してきている。彼らの運動方針の犯罪性を暴きだし、コロナ感染防止を口実に職場集会さえ開かない労組指導部をつきあげつつ職場から柔軟に論議をまきおこし労働組合組織を戦闘的に強化している。中小企業でたたかうわが仲間たちは、電機連合指導部の春闘の大裏切りを弾劾し、最後まで奮闘しよう。

同時に〈パンデミック恐慌〉下での業績悪化を口実に電機独占資本家どもが熾烈にかけてきている大量人員削減攻撃を、これに協力する電機連合労働貴族をのりこえ打ち砕こう。電機労働運動の戦闘的再生のために奮闘しようではないか。それとともに、解雇・賃金カットによって困窮する労働者・人民を見殺しにしている無為無策の安倍政権を弾劾し、コロナ危機に乗じて憲法への緊急事態条項の追加・九条破壊の改憲を狙う安倍政権を今こそ労働者の力で打倒しよう。

ＮＴＴ西日本が「エリア社員制度」を新設

低賃金強制・転籍・配転・労働強化を許すな

花形　哲

ＮＴＴ西日本会社は、新たな雇用制度である「エリア社員制度」を今二〇二〇年四月に新設した。

ＮＴＴ西会社の経営陣は、この制度新設を、「事業構造の変化へ柔軟に対応していくために、現有する人的リソースの流動性を高め」「活躍フィールドを拡大し幅広い業務分野での能力発揮を促す」ためである、などとおしだしている。

彼らは、日本のＩＣＴ（情報通信技術）産業の旗頭を自任するＮＴＴグループの一員として、新領域ビジネスの開拓・拡充を進めている。そのためにも莫大な研究開発費と設備投資の原資を確保することをもくろみ、いわゆる「デジタルトランスフォーメーション（ＤＸ）」（註1）を推進し、生産性向上と大幅な人員削減をおしすすめている。こうした新規事業の開拓や業務集約にともなう事業拠点の大都市部への集中などの事業構造の転換に対応して「人材の確保・育成・配置」を図ることが、経営陣にとって急務となっている。まさにそのために、ＮＴＴ西会社の経営陣は「エリア社員」という新たな雇用形態を創設したのだ。

今やＮＴＴ西の各職場において四割～五割を占めるにいたっている非正規の有期および無期の契約労働者たちを、新たな雇用形態である「エリア社員」に登用するということは何を意味するのか？　まさにそれは、「社員への登用」の名のもとに、大多数の労働者に生涯にわたって低賃金を強制するものであり、彼らに広域的な異動・配転・転籍を強制し資本の生産性向上に駆りだすものといわなければならない。

Ⅰ　「エリア社員」とはどのような雇用形態か？

四月より新たに創設された「エリア社員制度」、この「エリア社員」とはどのような雇用形態か？

その対象となるのは、グループ各社の業務分野全般においての「高度なオペレーション業務」（註２）や「マネジメント」を担う人材とされ、「業務の範囲」は「幅広い業務分野での能力発揮」を図るという理由で「限定しない」とされている。「配置の範囲」は、①「転居を伴わない自宅からの通勤圏内」を基本に、②ＮＴＴ西日本グループ会社間をまたがった配置を実施する、とされている。

ＮＴＴ西会社においてはこれまで、非正規である「有期・無期契約社員」から正社員とされる「グループ会社採用社員」（註３）への登用がなされてきた。この「グル採社員」は下級職制としての「主査」などを担うものとされており、人数も限定されていた。今回の「エリア社員制度」の新設により、現場業務を担う・より幅広い層を「正社員」として登用することができる、と経営陣はその意義をおしだしている。

ビジネス営業・新領域事業の開拓に向けた再編

一八年に、ＮＴＴ持株会社がうちだした「新中期経営戦略」。その実現のためにＮＴＴ西会社の経営陣は、「ソーシャルＩＣＴパイオニアをめざして」と題する西会社版の「新中期経営戦略」をうちだし、日本におけるＩＣＴ開発・実用の先駆者たることを謳いあげた。彼らは、これまでのネットワーク事業のみではなく、ネットワークを活用した「総合情報サービス企業」として大きく事業転換していくことを策している。「地域を元気にしていく『ビタミン』のような役割」などとみずからをおしだし、自治体や諸企業にたいして、AI（人工知能）やIoT（モノのインターネット）を組み合わせ駆使したサービスの展開、都市型DC（データセンター）事業、BPO（ビジネス・プロセス・アウトソーシング）事業、地域版ビッグデータ事業などの新たな事業を提供しようとしているのだ。〔さらには、再生エネルギー事業への本格参入も策している。〕

西会社経営陣は、「新中期経営戦略の目標達成に向けては、ビジネス営業や新領域事業への一万人規模の人材シフトを実現する必要がある」と呼号している。この労働者の部門（したがって細分された子会社の垣根）をこえての異動を実施していくために、NTTの経営陣は「エリア社員制度」という新たな雇用制度を新設したのだ。

これまでNTT西日本グループ子会社の業務の中心を担ってきたのは、地域限定の「五十歳退職再雇用社員」（註4）であった。その多くが定年を迎えていくなかで、いまでは子会社社従業員の四割〜五割を非正規の有期・無期契約社員が占めており、彼らが業務の中軸を担うようになっている。彼らの雇用契約は、業務限定・ビル限定であり、賃金体系および基礎賃金の水準もグループ各子会社ごとに異なることからして、グループ子会社間の異動は容易ではなかった。このことを、事業構造の急速な転換を狙い、これに対応できる「人材の確保・育成・配置」を図ろうとしている経営陣は桎梏と感じている。

このようなもとで経営陣は、①会社の必要とする人材を確保・育成・配置することが可能になること、②生産性のよりいっそうの向上を図ること、③人件費総額を大きく削減できること——これらを実現するものとして、既存の有期および無期の契約社員を選考・選別し登用する新たな雇用制度として「エリア社員制度」を創設したのだ。

Ⅱ　「正社員」とは名ばかりの「底辺的正社員」！

広域異動・配転・職種転換の強要

この「エリア社員制度」の新設により西会社経営陣は、〃転居をともなわない・現住所からの通勤エリア内の異動〃を強制しようとしている。この「通勤エリア」とは「一二〇分の通勤圏内」を指すとされているのであり、新幹線を使えば九州一円、関西一円などの広域異動が可能な「圏内」とされているのだ。これを「エリア」などと称して、あたかも〃地域限定〃であるかのようにおしだし労働者を欺瞞しているのだ。

また、この「エリア社員制度」において経営陣は、西日本グループ子会社各社をまたがった配置も可能とした。「エリア社員」の対象業務は「ＮＴＴ西日本各社の全ての業務分野」とされ、基準内賃金の水準もグループ各社において統一的なものとされた。これにより、契約社員においては困難であった各社をまたがった職種転換・転籍も可能とされたのだ。しかも賃金は低賃金のままだ（後述）。これでは地域非限定で各社をまたがって使い回しのできる「正社員」とは名ばかりの「底辺的正社員」ではないか！「エリア社員」の名のもとに、広域異動、グループ会社をまたがった職種転換・転籍を強要する西会社の経営陣を許すな！

契約社員と変わらない低賃金

「エリア社員」の賃金水準は、西本体社員の七〇％、「グループ採用社員」の八〇％でしかなく、契約社員とほとんど変わらない低賃金なのだ。たとえ非正規の一定程度の労働者たちを「エリア社員」として登用し「正社員」の「身分」を与えたとしても、総額人件費は抑制することができると算段しているのが経営陣なのだ。

「エリア社員」の処遇体系は、「グループ事業への貢献」を第一の基準にした「人事・賃金制度」として提起されている。この「人事・賃金制度」は、エリア社員資格等級制度4等級構成とし、4級・3級・2級・1級へと「スキルレベルの向上」や「役割の発揮」に応じて昇格する仕組みとされている。それにふまえた賃金支払い形態も、本体社員や「グループ採用社員」と同様に、「成果・業績」重視のそれとして構築され、「成果手当」のウエイトをより大きくしたものとされているのだ。

具体的には、「基本給」部分は契約社員時から大幅に削減される。たとえば設備系のグループ子会社の契約社員Aの現在の賃金構成は「基礎賃金＋成果賃金＋調整賃金」となっており、基本給にあたる「基礎賃金」は約一六万円である。それが、新たな「エリア社員制度」では、大多数が格付けされる「資格3級」で、基本給部分である「資格賃金」は約一二万円であり、大幅に削減されるのだ。この基本給とされる「基礎賃金」の大幅な引き下げは、それを算定基準とする特別手当などにも大きく影響するのだ。

その他面で「成果・業績」を反映した「成果手当」の割合が大幅に増加される。この「成果手当」は、個々人が達成したとみなす「成果・業績」を評価基準とする「業績評価」（ⅠからⅤの五段階評価）によって決定される、半期ごとの「洗い替え」（＝リセット）方式の手当である。

エリア社員制度創設後の雇用形態

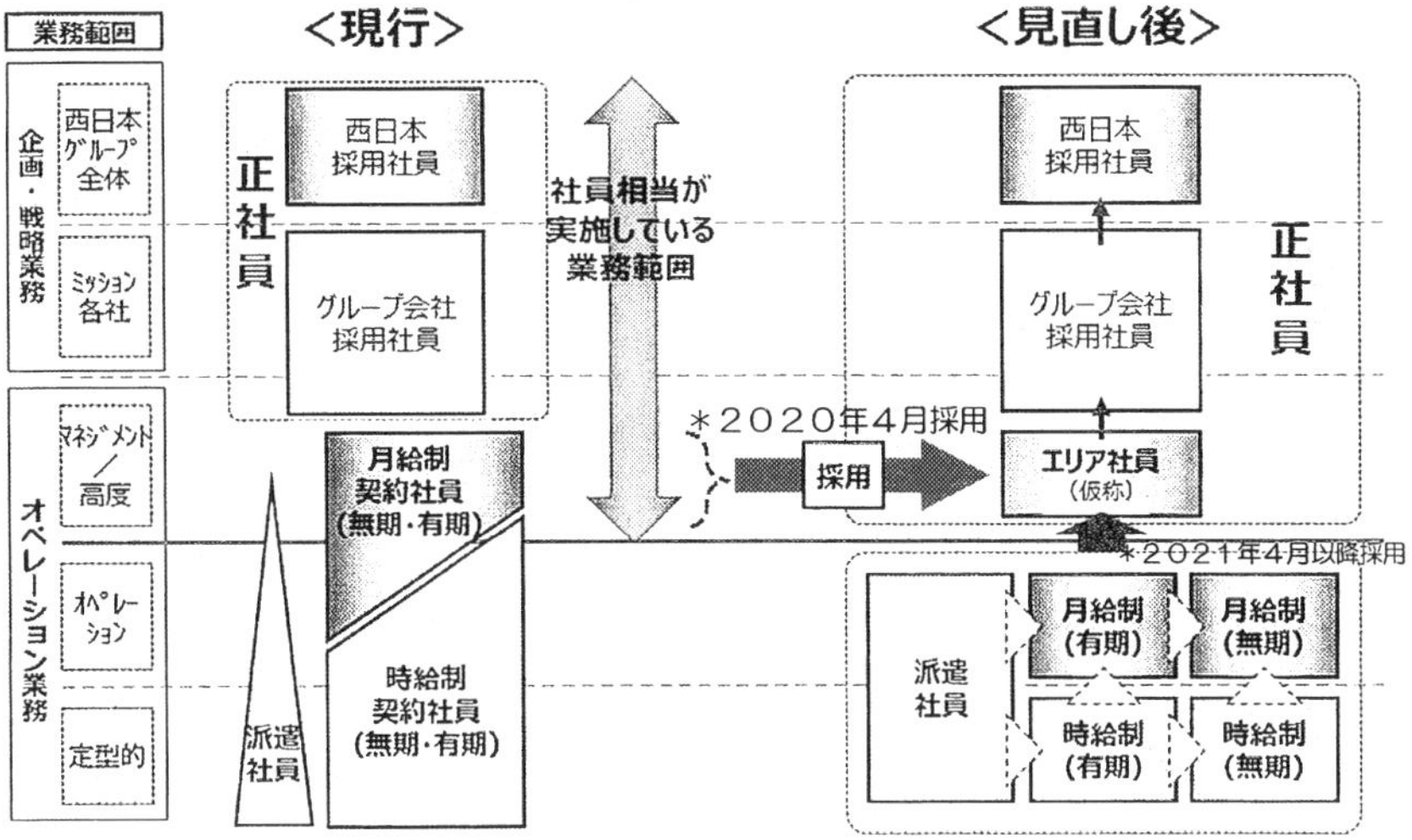

このように会社経営陣は、「事業への貢献度」というものを基準にして、「習熟度的要素」をも加味して賃金を決定するという「仕事・役割・貢献度」重視の賃金支払い形態を「エリア社員」に適用しようとしているのだ。低賃金を強制し、労働者間の競争に駆りたて、より生産性の向上を求めるNTT経営陣の狡猾さをわれわれは許してはならない。

階層分化を基礎に労務管理を強化

この「エリア社員制度」の新設により、NTT西会社・グループ子会社における雇用形態は、①「NTT西日本社採用社員（5等級）」、②「グループ会社採用社員（5等級）」、③「エリア社員（4等級）」、④「有期・無期契約社員」、⑤「五十歳退職再雇用社員」、⑥「六十歳超契約社員」、そして⑦専門職で年俸制の「スペシャリスト」等と細分化され、雇用形態のちがいによる賃金格差はさらに拡大し階層分化がより鮮明にされた（上の図参照）。

「エリア社員」の「役割」は、各職場において実施している業務全般を中軸になって担う、いわゆる現場業務のチームリーダー的なものとして位置づけられている。そして「グループ採用社員」が下級職制としての「職責」をもつ「主査」等を担い、西本体会社から出向している一部の「本体採用社員」が幹部候補として企画戦略部門に配置されている。

会社経営陣は、こうした社員間の階層分化を基礎に職務職階制としての労務管理を緻密化し、労働者を生産性向上へと駆りたてようというのだ（註５）。

この雇用形態ごとの「格差」を隠蔽するためにつくられ、しかも労働者をいっそう仕事に駆りたてる役割をはたしているのが、「キャリアアップ制度」なるもの、つまりより上位の雇用形態に登用するという制度である。西会社の経営陣は、自己研鑽によ り高い能力を身につけ高い業績をあげ会社に貢献すれば「キャリアアップ」が可能だとうそぶいている。しかし、資格等級が４級から始まる「エリア社員制度」では、最短在級年数が三年と言われており、「グル採社員」への「キャリアアップ」にチャレンジする権利をもつのは２級に昇級してからであって、七年めからということになる。契約社員から「社員」へ登用されたとしても、ほとんどの労働者は「エリア社員」止まりなのである。

しかも、この「エリア社員」には、希望者全員が登用されるわけではない。グループ子会社ごとの登用の格差や上司の恣意による推薦、等級の差異等々に規定される。経営陣は、不安定な状況から脱却したいという契約社員の切実な願いにつけこんで、契約社員どうしの競争をあおりたて、〝チャレンジ意欲〟をかきたて、生産性向上に駆りたてようとしているのだ。

Ⅲ　経営陣に全面協力するＮＴＴ労組西本部労働貴族を弾劾せよ

労働者に低賃金と労働強化を強制し、労働者間の競争と分断支配を目論むＮＴＴ西日本経営陣のこの攻撃を是認しているのが、ＮＴＴ労組西日本本部の労働貴族だ。

彼ら労働貴族どもは、「エリア社員制度」の導入を、「有期・無期契約社員からのステップアップをめざした仕組み」などと賛美し、「長期的・継続的な活躍促進に向けたモチベーション向上を図るなど、これまで以上にチャレンジできる環境整備に取り組む」と称して、この「エリア社員制度」新設を積極的に受け入れたのだ。また彼らは、「『エリア社員』への採用によって無期・有期社員の賃金改善の課題は解決に向かう」（西本部委員長・山縣芳彦）などと称して、春闘での非正規雇用労働者への七年連続「ゼロ回答」を是認したのだ。われわれは、経営陣の経営労務施策に全面的に加担する労働貴族どもを絶対に許さない。

「労使運命共同体」イデオロギーに骨の髄まで汚染された労働貴族どもは、企業の成長・発展のための「人財への投資」などと称して、会社経営陣が企業業績向上にとって「有能」であり「貢献度が高い」と評価したごく一部の労働者だけを厚遇し、労働者間の賃金格差をいっそう拡大することを、労働組合として積極的に是認して恥じないのである。まさにそれは、会社経営陣の経営・労務施策のスムーズな貫徹を支える「第二労務部」たるにふさわしい対応ではないか。

いま新型コロナウイルス感染症が社会をおおいつくし、「新生活様式」が叫ばれ、「オンライン○○」や「テレワーク」が推奨されているなかで、これを「ビジネスチャンス」ととらえ、新領域ビジネスの開拓に従業員を駆りたて過酷な労働を強いているのが、どこまでも強欲なＮＴＴの経営陣なのだ。これに呼応する中央ならびに各企業本部の労働貴族を弾劾しつつ、低賃金と過酷な労働に呻吟する組合員とともに、「エリア社員制度」導入をつうじた転籍・配転・労働強化を許さずたたかおう！

註1　デジタルトランスフォーメーション（DX）とは？　ＩＣＴにより様ざまなデータを集積・利活用することで、新たな仕組みを創出したり既存の仕組みを変革したりすること。デジタル技術を活用することで、従来の生産のあり方を変えさらなる業務の効率化を進めること、とされる。「デジタル革新」「デジタル革命」とも言われる。

註2　オペレーション業務　各職場において実施して

いる業務全般（企画・戦略業務を除く）をオペレーション業務と位置づけている。

註3　グループ会社採用正社員　以前は西日本グループ子会社では、新卒で採用される「グループ会社採用社員」と、非正規雇用労働者がキャリアアップし「中途採用」される「グループ会社採用社員」のふたつの雇用形態があった。業務の範囲などに差異を設けていたのであるが、一八年に雇用形態を統一し、社内のすべての業務分野に従事する「新たなグループ会社採用社員制度」に雇用制度を見直した。また、社員資格制度についても「新たな人事・賃金制度」へと見直した。

註4　五十歳退職再雇用労働者　NTT経営陣は、〇一年度からの「NTTグループ三カ年経営計画」で、「東西地域会社の構造改革」を掲げ、東西合計で一一万人にのぼる社員を退職、在籍出向させた後、注文受付、設備保守、運営、故障修理などを受けもつアウトソーシング会社へ再雇用ないし転籍させ、賃金を三割以上、年収では五割以上引き下げるという策をうちだした。そして〇二年五月に、五十歳以上の社員一一万人が本体会社の退職を強要され、地域（県域）限定の社員として、アウトソーシング会社に再雇用された。

註5　労務管理の強化

＜生産現場の「社会的労働体」の内部における階層分化と、分化した階層の序列すなわち位階制（これが、いわゆる職階制であり、職務および職能に対応して形成されるがゆえに職務職階制となる）――この位階制は、生産現場における「社会的労働体」が遂行する諸労働の統制と管理を成功的に実現するための手段の制度的確立である。

　いわゆる労務管理の強化は、直接的生産過程における諸労働者の位階制すなわち職階制あるいは職務職階制をつうじてなされる諸労働者の支配・統制の強化にほかならない。このようなものとしてそれは、労働生産性のより一層の上昇として現象するのであり、この意味では搾取を強化するために資本家があみだした一方法にほかならない。＞（黒田寛一『賃金論入門』こぶし書房刊、八六～七頁）

〔本誌掲載の関連論文〕

・NTT労組指導部の超低額・格差拡大妥結を弾劾せよ　反町　勝（第三〇七号）

・NTT労組中央・企業本部の超低額妥結　花形　哲（第二九五号）

・「一人平均一四〇〇円改善」のウソを暴け　反町　勝（第二八九号）

「給特法」改定を尻押しする日教組指導部を弾劾せよ

前崎　勇

二〇二〇年二月下旬、首相・安倍晋三は突如全国の小・中・高校の「一律の休校要請」をおこない、学校職場を大混乱に陥れた。つづいて、四月〜五月のあいだに布告された緊急事態宣言のもと、多くの自治体で二ヵ月ものあいだ休校措置がとられたその後始末に今、政府・文部科学省・自治体各首長は「夏休み短縮」「一日七時間授業」「土曜日授業」「オンライン授業の推進」、あわよくば「九月新学期制導入」をと、失われた授業の取り戻しに躍起となっている。だが、そこでは職を失った保護者のことも、一方的に詰めこんでくるオンラインでの学習内容を理解できない子どもたちのことも、これからなおいっそうの過酷な労働を強いられる教育労働者のことも一顧だにされていない。

安倍は、「大恐慌」時代のルーズヴェルト気どりで「Society 5.0のために今回の危機をチャンスに転換し、デジタル・ニューディールを進める」と言う（四月七日発表の「緊急経済対策」）。「GIGAスクール構想」と称して、子どもたちに一人一台のタブレット端末を与え、学校環境を「デジタル化」するために、コロナ対策補正予算として二二九二億円を計上したのだ。

四月から、学校では新学習指導要領が実施された。「英語科」（小）が増え、「プログラミング教育」が教科横断的に導入されるなど、教科数も教育内容も大幅に増加する。しかも、「アクティブラーニング・主体的、対話的で深い学習」なる新たな教育手法の主体化が教員に強制されている。ますます子どもも教師も疲へいさせられ苦しめられる。すべては政府・独占資本家の要請する〝お国に尽くす「グローバル人材」〟育成のためだ。

教育労働者には、よりいっそう過密な「働き方改革」（実は働かせ方大改悪）が強要されている。

「上限指針」条例制定を歓迎する指導部

四月一日から学校職場には、改悪された「給特法（教育職員の給与等に関する特別措置法）」（第七条）にのっとって各地方の自治体条例（勤務時間の「上限指針」）が施行された。条例は、文科省の「ガイドライン」に準じて教職員の所定労働時間を超える超過勤務時間の上限を「月四十五時間・年三六〇時間」（特例的に「月一〇〇時間未満・年七二〇時間」）にせよというものだ。

しかし、「給特法」を大前提としたこれらの条例では、この「超勤」を、決して労働基準法上の「残業」とは認めていない。したがって、何時間であれ割り増し残業代は不払いなのだから「上限」など端から理不尽なものである。そのうえ、条例違反にたいする罰則はない。労基法に規定された「労使交渉」も「労使協定」も破棄されている。まったく「使用者」のやりたい放題。「残業し過ぎに規制をかける」とは名ばかりの反労働者的なシロモノなのだ。

これまでも多くの教育労働者たちは過労死ラインの月八十時間を超す「残業」を「自主的労働」だからとして、無給でいいように強制されてきた。ところが四月一日の条例で、残業時間を含む勤務時間は「在校等時間」と言い替えられ、「学校教育活動に関する業務をしている勤務時間」だと規定された。その狙いは「給特法」をあくまでも維持することである。しかも「勤務」中だから、自分勝手なことと管理職にみなされた業務（たとえば、教材研究であっても指導要領に沿わないもの・自主教材開発）や休憩した時間は「在校等時間」としては認めないという、ヒトを食ったものである。教育労働者を管理し統制するためにつくりだされたのが「在校等時間」という欺瞞的な用語なのだ。

ところが、日教組指導部は「法令のもと勤務時間の管理体制が整備された」だの、『在校等時間』の記録が行政文書として公務災害認定に活用され意義がある」などと「歓迎」している。まるで〝過労死の後に役立つ〟とでも言わんばかりだ！　そして、「この機を逃してはならない。二〇二〇年四月すべての自治体での条例・規則改定のもと、『総力戦』で学校の働き方改革の実現を」（一月十八日「書記長談話」）と地方単組指導部の尻を叩く。それを受けた多くの地方単組執行部は各自治体の「上限指針」条例制定をやすやすと受け入れてしまった。このように「給特法」改定を美化し、「上限指針」を受け入れたのでは、次にくる「一年単位の変形労働時間制」条例化（二〇年六月各地方議会）に、一応は「反対」を唱えたところでたたかえるはずもないではないか。

「三年後の給特法見直し」への幻想をふりまく

政府・文科省は、二一年四月一日を期して今度は改定された「給特法」第五条にのっとって「一年単位の変形労働時間制」を導入しようとしている。それは戦後、労働者たちがたたかい守りぬいてきた「一日八時間、週四十時間」労働制を「一日九時間（ないし十時間）」労働制に変える反労働者的なものなのだ。たとえ、「閑散期」（夏休みなど）に「まとめ取り休日」を取れる、としたところで無理な話だ。その日一日の疲れを何ヵ月も後にまとめて癒すことなどできるはずもない。それに夏休みは「閑散期」などではない。部活、生活指導、「デジタル」研修など各種研修がひしめいている。

とりわけ、この夏は「コロナ休業」取り戻しのために夏休みはほぼ消滅する。酷暑のなかで、子どもも教育労働者も過酷な事態に直面する。「まとめ取り休日」どころか年休さえない。特例「月一〇〇時間・年七二〇時間」を超える残業も強いられかねない。しかもこの「臨時」の働き方は、パンデミックが完全収束しないかぎり来年度も続く可能性があるのだ。まさに「一年単位の変形労働時間制」の先取り。教育労働者を労基法の適用除外とした改悪給特法の「賜物」だ。

日教組指導部はこの「一年単位の変形労働時間制」の攻撃にたいしても「長時間労働を是正するために活用」すると称して容認する。それは、政府・文科省が日教組との協議のうえで付けた改悪給特法付帯決議「三年後を目途に勤務実態調査をし・給特法等の検討をする」にすっかり幻想を抱いているからにほかならない。

だが、政府・文科省は決して「給特法」を破棄することはない。そもそも、この「給特法」は半世紀も前の一九七一年五月、多くの日教組組合員が激烈に反対したにもかかわらず制定されたものなのだ。(かくいう私も！「わずか四％で深夜まで働かされることになる。絶対反対だ」「私たちは労働者だ」と。「歯止めをかけるから決してそうはならない」と言う執行部と激論した。)この「給特法」こそは、当時の政府・自民党が日教組の「超勤手当」闘争に追いつめられて打った起死回生の一手であった。その内容は、「教員の職務はその職務の特殊性から、勤務時間の内外を切り分けることが適当ではない。そのため、勤務時間の内外を問わず包括的に評価した処遇として、①時間外勤務手当は支給しない。代わりに②教職調整額を本給として四％上のせして支給する。原則時間外勤務は命じない」(給特法趣旨第一条等)というものである。

こうして政府・自民党は日教組が超勤反対闘争の法的根拠にしてきた労基法第三十六条(団体交渉によって超勤をするかしないかを決める権利)、第三十七条(超勤には割増手当を支給する)を教育労働者の手から奪ったのである。

だが、当時の日教組槇枝執行部は「時間で測れない超勤」は「教職の特殊性」分として「本給の四％」はもらう。さらに、「時間で測れる超勤分」には引き続き「超勤手当」を要求してたたかうという

「二本立て要求」路線に転換した。（反主流派、現在の全教グループもまたこの方針を支えた。）その後、超勤手当闘争は敗北を重ねた。執行部の「給特法」受け入れに反対した組合員たちは、まだ、適用除外にはなっていなかった労基法の「八時間労働制」に依拠して抵抗を続けたが、日教組指導部（その後分裂した全教指導部も）の「教職の特殊性＝専門職」論の影響下で無定量タダ働き状態を招来させてしまった。

給特法撤廃の闘いに起とう！

　痛苦なことに、日教組指導部は今日再び、政府による「給特法」改悪を尻押しするという大裏切りに手を染めようとしている。政府・文科省が約束した「三年後の給特法等の見直し」があたかも給特法廃止につながるかのように組合員を誘導している。だが、付帯決議の別項を見よ！　そこには「教育職員の崇高な使命と職責の重要性に鑑み・教育職員の処遇改善を図る」と謳われているではないか。ここには教職員を「専門職」と称して、労働者としての諸権利を奪った「給特法」の精神（第一条）がにじみ出ているではないか。

　実はこのことは、すでに昨二〇一九年一月の「中教審答申」でも「勤務時間の内外を問わず包括的に評価して教職調整額を支給し、時間外勤務手当及び休日勤務手当は支給しないとする仕組みを含めた給特法の基本的枠組みを前提」とすると明言されていた。政府・文科省は、今後は独占資本家の要請する教育を担う〝優秀な能力〟をもつとみなした教育労働者に「能力に見合った待遇改善」（勤務評価とリンクした能力給）での処遇を企んでいるにちがいない。にもかかわらず、日教組指導部は組合員に「給特法改正」の幻想をばらまき、再び半世紀前の犯罪的な過ちをくりかえそうとしている。

　日教組執行部の「給特法見直し」要求への解消をのりこえて、給特法撤廃の闘いに起ちあがろう！　六月の「一年単位の変形労働時間制導入」のための地方条例制定を断固阻止しよう！　過労死ラインの過酷な労働の強制を組合員の力を結集して阻止しよう！

（二〇二〇年五月十五日）

〈パンデミック恐慌〉に突入した世界経済

茨 戸 薫

（上）厳戒態勢で死の街と化した上海（2020年1月）
（下）失業保険申請に並ぶアメリカの労働者（3月）

新型コロナウイルスの感染者はいまや世界で三六〇万人を超え、二五万余の人々が死に追いやられた（二〇二〇年五月五日現在）。感染爆発の中心が中国（武漢）からイタリア・スペインなどヨーロッパへ、そしてアメリカへと移り、世界各地で深刻な医療崩壊が起きるなかで、各国権力者はパンデミック（世界的流行）を抑えこむために次々と国境封鎖・都市封鎖を強行してきている。全世界人口の四割を超える労働者・人民が突如として外出制限下に置かれるというこの画歴史的な事態によって、マネーゲームに覆われ腐蝕を極めてきた現代帝国主義世界経済は一気に凍りつき、まさしくパンデミックによっていわゆる「実態経済」がとつぜん奈落に突き落とされる<パンデミック恐慌>に突入した。各国で強化される労働者・人民の外出制限・移動制限によって、物質的生産の縮小・杜絶とサプライ・チェーン(供給網)の寸断とが世界中で相乗的に拡がるとともに、観光・宿泊・飲食・レジャー・イベントなどのサービス産業・レジャー産業や小売店などの商業サービスは突然の〝需要の蒸発〟に見舞われあえいでいる。

実態経済のこの破局的危機に直面した各国の独占資本家どもは、みずからの延命のために、いっせいに労働者の大量解雇・賃金削減を強行しつつ、各国権力者から支援策をひきだすことに血まなことなっている。そして、独占資本家どものこうした要求に応えて、――パンデミックがいまなお拡大し、医療労働者たちが日々命がけで治療と感染拡大抑止にとりくんでいるこのときに、彼らのこの不眠不休の活動をまさに踏み台にして――株式価格の下支えと独占体諸企業の救済を基本とした財政・金融政策を次々とうちだし、「経済のV字回復」をはかることに躍起となっているのが、アメリカ・トランプ政権をはじめとする世界の帝国主義権力者どもである。そして、なによりも、失墜した威信を糊塗し官僚専制体制を立て直すために、国有企業などへの財政的・金融的テコ入れをはかって「経済のV字回復」に向けた生産活動の再開を号令しているのが、「市場社会主義国」中国のネオ・スターリニスト官僚どもなのだ。

実態経済の凍りつきに直面して三月には大暴落に陥ったアメリカ・ダウ平均株価をはじめとする世界の株価は、権力者どものこうした諸政策に支えられて、下落した額の半分ほどを取り戻し、いまやパンデミックをめぐる動きそのものを投機の材料にして乱高下をくりかえしているありさまである。これこそは、現代帝国主義の腐朽性を、その反人民性の極致をしめして余りあるではないか。

パンデミックと経済的破局が相乗する未曽有の危機をば、労働者・人民への犠牲転嫁によってのりきることを策す、この断末摩の現代帝国主義を、「市場社会主義国」中国もろともに根底から覆すために、労働者階級の階級的団結をいまこそうち鍛えるのでなければならない。

A　新型コロナ感染爆発が世界経済を直撃

新型コロナウイルス感染のパンデミックに直面して、感染抑えこみのために各国権力者が国境封鎖・都市封鎖を次々と強行し、労働者・人民の外出制限・移動制限をおこなうことによって現出した、実態経済の全世界的規模での突然の凍りつき。――この〈パンデミック恐慌〉はいま、いよいよ深刻の度を増している。

とりわけ、このかん唯一〝堅調〟な経済で世界経済を牽引しているとされてきたアメリカが、いまや世界最大の感染爆発に襲われることによって、株価の暴落とその後の乱高下をともないつつ、実態経済の急激な悪化を現出させている。すでにサプライチェーンの寸断によって部分的な操業停止に陥っていた自動車独占体諸企業の操業停止の拡大、石油需要減による原油価格の急落に直撃されたシェール石油企業の行き詰まり、そして航空や宿泊・飲食業、小売業などにおける〝需要の蒸発〟による経営危機の急増などなどが相次ぐなかで、独占資本家や中小企業経営者は、企業生き残りのために労働者の解雇やレイオフ（一時帰休）を情け容赦なく強行している。こうして、三月中旬からの六週間で失業保険申請が三〇〇〇万件に達するほど、失業者が激増しているのだ。アメリカの失業率はすでに二〇％（三二〇〇万人）に達しているといわれており、いまや労働者の四分の一が失業に追いやられた世界大恐慌（一九二九年）を彷彿《ほうふつ》とさせる事態が、一挙に現出しているわけなのである。

他方、新型コロナウイルス感染の震源地・中国では、習近平指導部が武漢の封鎖解除を大々的に宣伝して中国での基本的な感染収束を宣言し、「経済のV字回復」に向けた経済活動の再開を号令しはじめている。けれども、全世界でパンデミックがいまなお拡大し各国が互いに国境封鎖を続け、中国国内でも感染防止のための規制をとりつづけているなかでは、そしてなによりも、今回の危機のりきりのために国有企業も民営企業も、こぞって労働者の大量解雇や大幅な賃金削減を強行してきていることのゆえに、中国経済の回復どころか、ますます危機を深めるであろうことは明らかなのだ。

現に、中国国家統計局が四月十七日に発表した中国の二〇年一～三月期の実質GDPは、マイナス六・八%（前年同期比）という記録的な落ち込みをしめした。感染拡大を食いとめるために習近平指導部が、一月下旬以降、一一〇〇万都市・武漢の「完全封鎖」を基軸として中国全土での都市部封鎖・交通遮断・外出規制に突進してきたこと、このことによって、多くの製造業諸企業が操業の停止や短縮に追いこまれると同時に、観光・宿泊・飲食・娯楽・レジャーなどのサービス業や小売店などが〝需要の蒸発〟に見舞われたことが、この衝撃的なマイナス成長としてあらわれたのである。

この経済収縮の背後には、国有企業や民営企業（中国の安価な労働力と巨大市場に群がる多くの多国籍企業を含む）が、みずからの延命のために、億を超える大量の農民工や都市部の労働者を無慈悲に解雇し路頭に放りだしてきた許しがたい現実があるのだ。この三ヵ月のあいだに倒産・廃業に追いこまれた製造業やサービス業の中小企業は四六万社にのぼり、失業者は二億人に達するともいわれている。

世界GDPの二四%を占めるアメリカと一六%の中国のこの無惨な現状に象徴される、パンデミックに直撃された世界の実態経済の危機の深刻さのゆえに、IMF(国際通貨基金)も、世界経済が「世界大恐慌以来の最悪の不況」(専務理事ゲオルギエバ)に直面している、と叫ばざるをえなくなっているわけなのだ。

しかもいま、世界経済の一挙的な収縮のゆえに、石油需要が急減し原油価格が急落する事態が現出している。とりわけ各国が国境封鎖・移動規制を強行しているがゆえに、航空機や車の燃料需要が激減していることも相まって、原油の大幅な供給過剰がうみだされ、年初には(OPEC〔石油輸出国機構〕とロシアなどの産油国からなるOPECプラスの協調減産に支えられて)一バレル=六〇ドル台であった原油価格が、いまや一バレル=二〇ドルを割るまでに暴落しているのだ。

パンデミックの直撃がもたらしたこの原油価格の急落によって、中東産油国やロシアなどは国家財政危機に叩きこまれ、OPECプラスの減産に乗じて市場をかすめ取ってきた米シェール石油諸企業は倒産の淵に立たされている。

こうしたなかでOPECプラスは、三月にサウジアラビアとロシアが対立して一度は決裂した協調減産の強化を、日量九七〇万バレルという史上最大規模で五月から実施することを急きょ合意した(四月十二日)。けれども、この減産がたとえ実施されたとしてもなお日量一〇〇〇万バレル以上が供給過剰であるとされているのであって、原油価格の下落をくいとめられないことは明らかなのだ。このことは、ニューヨーク原油先物市場においてWTI五月物の価格がマイナス三七ドルに下落するという異常事態が現出(四月二十日)したことによって、衝撃的にしめされた。——このマイナス価格は、供給過剰のゆえに原油の在庫が膨れあがり保管が困難になるなかで、原油先物市場に大量の資金を投入している投機ファンドが、現物(原油)の抱え込みを回避するために、投げ売りをしたことによって生みだされた。

投機資金の右往左往によって倍加されたこの原油価格の急落は、こうしていまや、三月の株式価格の暴落によって開始された金融資産バブルの崩壊と連鎖し、金融危機の高まりをいよいよ増幅している。財政難に追いこまれた中東産油国やロシアが、政府系ファンドをつうじて米国債や株式に投じてきたオイル・マネーを引き揚げるならば、米国債価格の下落＝長期金利の上昇や株価の下落がもたらされるだけではない。いまやアメリカ経済をささえる主要産業となったシェール石油生産、これをになう四〇〇〇ほどの企業の多くは低格付け社債（ハイイールド債）や低格付け企業融資（レバレッジドローン）に依存する資金力の脆弱な中小企業であって、これらシェール企業の倒産続発は、金融資産バブルを一気に破裂させかねないのだ。

パンデミック突入への狼狽で始まった三月の株式価格の暴落は、米ＦＲＢ（連邦準備制度理事会）をはじめとする各国中央銀行のなりふり構わぬ金融緩和策と短期資金供給策によって、とりあえずは押しとどめられた。この株価暴落は、外出制限の拡大によって実態経済が凍りつくなかで、売上が杜絶し突然の資金繰り難に叩きこまれた諸企業が、手元資金確保に血まなことなり、社債やＣＰ（コマーシャルペーパー)の発行を急増させ、株式や国債などが投げ売りされたことを大きな要因として引き起こされたものであった。

株価の急落と現金とりわけドル資金のひっ迫・短期金利の急騰に直面した各国中央銀行は、企業の支払い不能の連鎖による金融破綻の危機をのりきるために、まさに異例の金融緩和・短期資金供給策に踏みきった。とりわけ米FRBは、ゼロ金利政策を復活させるとともに、「無制限」の量的緩和策に突進し、国債、MBS(不動産ローン担保証券)だけではなく、CPや社債(しかも一部の「投資不適格」社債をも含む)までをも購入しはじめた。まさになりふり構わず資金繰りに行き詰まった企業に短期資金供給をはかるとともに、トランプ政権がうちだした巨額の財政支出政策(財政赤字が四兆ドル超に達する見込みのそれ)を「無制限」の国債購入でささえはじめたのがFRBなのである。いまやFRBは、むきだしのかたちで「財政ファイナンス」に突進しはじめたといわなければならない。(FRBの資産は、またたく間に一・五兆ドルも増えて六兆ドルを超えた。年末までには一〇兆ドルに達するといわれている。)

このような、米FRBを先頭にした世界の中央銀行の異例の金融緩和・資金供給策と各国政府の巨額の財政支出政策とによって、急落していた世界の株価は下げ止まり、下落した額の半分ほどを取り戻してさえいる。パンデミックがいまなお拡大しつづけ、実態経済の落ち込みはいよいよ深刻化しており、労働者・人民は、外出制限下で感染拡大と生活困窮に苦しみ、解雇や賃金削減の攻撃にさらされつづけている。まさにこうしたなかにおいて、株価だけが持ちなおしてきているわけなのだ。

パンデミックに直撃される前の帝国主義世界経済は、米・欧・日権力者の超金融緩和政策が常態化するなかで、「経済のデジタル化」の喧噪に包まれながらも「長期停滞」(元米財務長官サマーズ)に沈みつづけ、労働者・人民は貧困と苛酷な労働にあえぎ、株式・金融資産バブルだけがますます過熱化する様相を呈してきていた。

〝堅調〟といわれたアメリカ経済の内実は、トランプが仕掛けた＜対中貿易戦争＞が国内産業に深刻なダメージをあたえ、多くの労働者が失業と低賃金に苦しむなかで、独占体諸企業がトランプの企業減税とＦＲＢの金融再緩和策にささえられた自社株買いによって株価をつり上げ、金融資産所有者による「消費」を活性化させたものにほかならなかった。

パンデミックの直撃は、世界の実態経済を凍りつかせると同時に株価の暴落をもたらすことによって、まさにこうした株式・金融資産バブルの崩壊の始まりを告げ知らせたのである。

帝国主義権力者ども・とりわけトランプ政権はいま、なによりも金融資産バブル崩壊をくいとめることに躍起となり、「無制限」の量的金融緩和とこれに支えられた巨額の財政支出に突進している。労働者・人民に犠牲を強要しつつおしすすめられているこうした金融・財政政策は、だがしかし金融資産バブルの崩壊をわずかに先送りするものでしかないだけではなく、そうすることによってますます金融資産バブルの巨大な破裂を招きよせるものにほかならない。

Ｂ　＜パンデミック恐慌＞の特質

二十一世紀世界の覇権をめぐって政治的・軍事的・経済的に激突する米・中がまさに新型コロナウイルス感染爆発の震源地となることによって、全世界を経済的奈落に叩きこみいよいよ深刻化している＜パンデミック恐慌＞。その特質はなによりもまず、――新型コロナウイルス・パンデミック自体が、まさに経済のグローバル化によって年間数十億人もの「ヒト」が国境を越えて往来しているがゆえにもたらされたものであり、中国・武漢で発生した感染症がまたたく間に全世界に拡散する事態となったのであるが――、経済のグローバル化の〝賜〟にほかならないこの感染拡大を抑えこむために各国権力者が次々と都市封鎖・国境封鎖に踏みきり、労働者・人民の外出・移動の制限を（生活補償もすることなく）おこなうという、経済のグローバル化とは真っ向から対立する経済外的な要因によって、実態経済が全世界的な規模で一挙に凍りついたことにある。リーマン・ショック（二〇〇八年）のばあいには、住宅投機の過熱の果ての金融破綻がアメリカから世界に拡がり、実態経済へと波及した金融・経済危機にほかならなかった。かの世界大恐慌もまた、アメリカ・ウォール街における株式投機の破裂による金融恐慌が発端となった。こうした帝国主義経済の諸矛盾の累積がもたらした金融恐慌の爆発としてではなく、新型コロナウイルス感染パンデミックへの権力者の対応を引き金として、実態経済が突然の恐慌状態に叩きこまれ、それが金融恐慌を誘発する危機を深めているのが今回の〈パンデミック恐慌〉なのである。

この実態経済の一挙的落ち込みは、一方ではサプライチェーンの寸断による物質的生産の世界各地での杜絶・麻痺として、他方ではグローバルな「ヒト」の移動の制限による観光・宿泊・飲食・レジャー・イベントなどのサービス業や小売店などの販売の激減＝〝需要の蒸発〟として現出している。

感染爆発地における生産停止によって、経済のグローバル化のもとで形成されてきた部品や素材のサプライチェーンが寸断され、世界各地に生産停止や操業短縮が波及するというこの事態は、とりわけ中国が「世界の工場」として種々の部品・素材のサプライチェーンの中心に位置してきているがゆえに、いっそう深刻化したのであった。自動車部品生産が集積している武漢地域の感染爆発によって世界各地の自動車生産が停止に追いこまれたことが、このことを浮き彫りにした。

また、完成品を生産する工場の操業停止も中国で拡がったことによって、これらの工場に供給する部品・素材を生産する日本や韓国などの工場が操業の短縮や停止に追いこまれる、というサプライチェーンの〝川下〟から流れが滞る事態も続出した。

しかも、こうしたサプライチェーンの寸断による生産麻痺は、多くの企業が極限的なコスト削減に血まなことなり、在庫コストを削減するために、必要な部品を必要なときに必要なだけ調達する「ジャスト・イン・タイム」方式をも導入してきていることによって、拍車がかけられたのであった。またたく間に部品の在庫切れに陥ることによって、生産停止に追いこまれる企業が相次ぐ事態となったのだ。

まさに、飽くことなき利潤追求に狂奔する世界の独占体諸企業が、いっそうのコスト削減をはかるために、安価な労働力を求めて経済のグローバル化をおしすすめ、世界中にサプライチェーンをはりめぐらし、ジャスト・イン・タイム方式をも駆使してきたことのゆえに、パンデミックの直撃を受け、世界各地で生産麻痺を一挙に引き起こすことになったのである。

他方、今回の〈パンデミック恐慌〉の特質をとりわけ如実にしめしているのが〝需要の蒸発〟という事態にほかならない。各国権力者はいま感染拡大を抑えこむために、国境封鎖・外出制限を強行し、さらに医療・公共交通・生活インフラの維持、食料品や日用必需品の生産・販売などなどを除いて、休業を命じたりテレワークを強要したりしている。このゆえに、観光・飲食・レジャーなどのサービス業や小売店などにおいて集中的に現出したこの〝需要の蒸発〟は、これらサービス業や商業の諸企業や自営業者を一気に倒産・廃業の危機に叩きこんでいる。この経営危機をのりきるために資本家・経営者は、労働者を次々と解雇して路頭に放りだし、また大幅な賃金削減を強行しているのだ。

そして、労働者・人民が外出制限下に置かれるだけではなく、このように多くの労働者が解雇され生活困窮に突き落とされているなかでは、消費需要はいよいよ収縮して食料品や日用必需品いがいの購買は控えられることとなり、とりわけ自動車・家電などの〝不要不急〟の耐久消費諸手段の需要の急減がもたらされてもいる。こうして、最初は部品の在庫切れによる生産停止に追いこまれていた自動車や電機などの独占資本家どもは、いまや販売急減による在庫の増大に直面して、操業停止や操業短縮をくりかえし、派遣労働者や外国人労働者の解雇を手始めに解雇やレイオフを次々と振りおろしているのである。

各国権力者によるパンデミック抑えこみのための国境封鎖・外出制限の実施によって実態経済が一挙に凍りつくなかで、まさに利潤の減少を少しでも押しとどめ企業の存続をはかるために――自国政府に巨額の支援策を要求しつつ――、いっそうのコスト削減に狂奔し、労働者の大量解雇と大幅な賃金削減を情け容赦なく強行しているのが、世界の独占資本家どもなのである。こうして、文字どおり世界大恐慌以来の大量の失業者がうみだされ、いよいよ増えつづけているのだ。(ＩＬＯ〔国際労働機関〕は、世界の労働人口の約三八％にあたる一二億五〇〇〇万人が解雇や賃金削減の「雇用危機」に立たされている、と「警告」している。)

相対的過剰人口のプールの決壊

一〇〇年に一度というべき大量の失業者が巷に溢れつつあるこの事態は、まさしく現代帝国主義のどん詰まりの危機を告知するものにほかならない。

ソ連圏の崩壊以後、アメリカ帝国主義は、強大な核軍事力と事実上の国際基軸通貨ドルをバックにしＩＣＴ〔情報通信技術〕の飛躍的発展を技術的基盤にして、経済のグローバル化を全世界におしつけ、金融的支配を強化してきたのであった。この経済のグローバル化によって促進されたのが、各国諸独占体の多国籍企業化でありグローバルなサプライチェーンの構築であった。帝国主義諸国がおしなべて経済低成長に沈むなかで、アメリカや日本などの諸独占体はコスト削減の徹底によって利潤の増大をはかるために、安価な労働力を求めて生産拠点を海外に移転しサプライチェーンをはりめぐらすとともに、国内では、生産拠点を統廃合して労働者の大量首切りを強行し、国内製造業の空洞化を進行させてきたのである。そしてこの過程で、激増してきたのが非正規雇用労働者であり、製造現場から放りだされた労働者の「雇用の受け皿」として肥大化してきたのが観光・飲食・レジャーなどのサービス産業でありコンビニなどの小売業にほかならなかった。

　このような、現代帝国主義において激増してきた非正規雇用労働者たちは、また肥大化したサービス産業・レジャー産業などで働く労働者たちは、超低賃金で使い捨てにされる半失業の存在に突き落とされている。彼らは、好況期には諸独占体に雇用され、不況になると真っ先に首切りの対象とされる存在であって、このようなものとして資本の有機的構成の高度化にもとづいて創出される相対的過剰人口（新技術形態の導入にともなって生産過程から放逐される労働者群）の今日的形態にほかならず、肥大化したサービス産業・レジャー産業などはこうした相対的過剰人口をプールする歴史的に独自的な機構をなしてきているのである。アメリカのGDPの一二％を占める製造業の雇用者数が全雇用者数の八％であるのにたいして、GDPの三％にすぎないホテル・飲食サービス業が、雇用者数では全雇用者の九％も占めている。こうした数値にも、サービス業がいかに半失業状態の労働者をプールする役割を果たしているかが如実にしめされているではないか。

ところで、こうした観光・飲食・レジャーなどのサービス産業の肥大化は、「浪費の創造」を如実にあらわすものとして、「経済の軍事化」や「自己金融にもとづく投機」と並んで過剰資本の処理の国家独占資本主義的形態をなすものにほかならない。観光産業は、こんにちでは世界GDPの一割を占めるまでに膨れあがっている。このこと自体が、「浪費の創造」の凄まじさを、現代帝国主義の腐朽ぶりをしめして余りあるではないか。世界の飢餓人口が八億二〇〇〇万人にのぼり、七〇〇〇万人が難民としてさまよっているなかで、一四億六〇〇〇万人が国際旅行を楽しみ、豪華クルーズ船が行き交うことによって、世界経済の成長がもたらされているというわけなのだ。

まさにいま倒産・廃業の危機に立たされ、労働者を次々と巷に放りだしている中心的な諸産業・企業こそは、経済のグローバル化・国内製造業の空洞化を補完するかたちで肥大化してきたところのこうした産業・企業であり、「雇用の調整弁」として相対的過剰人口のプールの役割をにない、資本の過剰恐慌として爆発することを抑える機能を果たしてきたところのものなのだ。パンデミックの直撃が現代帝国主義にもたらしていることは、まさしく「浪費の創造」によってつくりだしてきたこうした相対的過剰人口のプールの決壊という事態であり、相対的過剰人口がむきだしの失業者群として溢れだしているということであって、資本の過剰が恐慌として露わとなる事態を招来しつつあるということにほかならないのである。

〔なお、中国のばあいには、三億人という膨大な数の農民工が相対的過剰人口の主要な形態をなし、農村が相対的過剰人口のプールの役割を果たしているといえる。農民層を極貧の生活におしこめたまま、必要なかぎりで安価な労働力として吸収し経済成長をはかる、というこの構造を制度的に確保していることが、中国が多国籍企業諸独占体の組み立て工程をになう「世界の工場」として経済成長をなしとげてきた絶対的基礎にほかならない。

今回の感染爆発では、この三億人の農民工が労働現場から放逐され帰郷したといわれている。（その後、感染収束によって八割は労働現場に復帰したともいわれているが、実態は定かではない。そもそも労働現場から放逐された農民工は、公式の失業者数としては集計されてはいない。）

まさに＜パンデミック恐慌＞をのりきるために、農村を雇用の「緩衝帯」としてフル活用し、農民工に集中的に犠牲を強要しているのが「市場社会主義国」中国の習近平指導部なのである。〕

C　「財政ファイナンス」にすがる帝国主義権力者

米・欧・日の帝国主義権力者どもはいま、＜パンデミック恐慌＞の破局的危機をのりきるために、財政・金融政策を次々とうちだし、経済活動の再開に前のめりになっている。彼ら権力者どもは、みずからが強制した外出制限や休業要請のゆえに資本家どもに解雇や賃金削減を強いられ困窮を極める労働者たちや倒産の淵に立つ中小零細企業・自営業者にたいして、わずかばかりの給付金の支給などをおこない、このことを免罪符として、諸独占体の維持・存続と株価のつり上げによる「経済のV字回復」を眼目とした巨額の財政支出と量的金融緩和の諸政策を、次々とうちだし実施しているわけなのだ。

とりわけ、世界大恐慌いらいの失業者の激増という事態をおのれの大統領再選の危機とみて焦り、いまだ感染収束にはほど遠い現状であるにもかかわらず、「三段階での経済再開」を闇雲に号令しているのがアメリカ大統領トランプにほかならない。危機のりきりのために、すでに総額三兆ドルという巨額の財政支出を実施しはじめているこの政権は、さらに一兆ドル規模の給与税減税をも追加措置として検討しており、文字どおりカネに糸目を付けない姿勢を露わにしている。（アメリカの政府債務残高は、いまやGDP比で一〇八％にもなる二三兆ドルに達しようとしている。）

そして、トランプ政権の国債濫発を、「今は政府債務の膨張を懸念する時ではない」（米FRB議長パウエル）と公言して全面的に支え、国債を「無制限」に購入する方針をうちだしているのが、米FRBなのである。

まさにアメリカ権力者は、いまや「財政ファイナンス」（財政支出拡大のための国債の増発と中央銀行によるその引き受け）に公然と踏みだしたといえる。

日・欧の帝国主義諸国政府もまた、――「必要なことは何でもやる」（ECB〔欧州中央銀行〕総裁ラガルド）、「無制限に国債を購入する」（日銀総裁・黒田東彦）というECBや日銀の方針に依拠しつつ――財政支出を軒並み拡大している。

こうして、パンデミック危機のりきりを名目とした政府支出額は、世界で七兆ドル規模に膨らむ勢いをみせているほどなのである。（世界の政府債務は、このパンデミック危機の前の時点で、すでに六五兆ドル超に達している。）

明らかに帝国主義権力者どもは、いまは〝戦時対応〟であり「無制限」の国債増発による政府支出拡大は当然であると開きなおって、「財政ファイナンス」への傾動を一気に強めているといってよい。

リーマン・ショックの際には、「市場社会主義国」中国が「内需拡大」を基軸とした四兆元の財政支出政策を推進して「高速成長」を実現し、新興国の経済高成長をも喚起することによって世界経済を牽引したのであった。低成長のもとで財政赤字を常態化した米・欧・日帝国主義は、超金融緩和政策を採りつづけ〝緩和マネー〟を全世界に撒き散らすことによって、この中国・新興国の高成長の〝成果〟をとりこみ、危機のりきりをはかってきたのである。

だが今回は、米・中が＜貿易戦争＞によって共倒れの危機を深めていただけではなく、とりわけリーマン・ショックの際には〝救世主〟となった中国が、膨大な債務と過剰生産設備をかかえこみ経済の減速を露わにするなかで、パンデミックの直撃を受けたのであった。財政赤字をかかえ金融政策に頼ってきた帝国主義諸国も、超金融緩和政策を採りつづけてきたがゆえに、もはや金融政策も手詰まりの状態にある。まさにこのゆえに、中央銀行による「財政ファイナンス」という、政府債務の歯止めなき増大と長期金利の急騰（国債価格の暴落）をもたらし、そうすることによって世界金融恐慌の爆発を招きよせかねない〝禁じ手〟にすがり始めたのが米・欧・日の帝国主義権力者どもなのである。

米・欧・日の権力者によるこの「財政ファイナンス」への突進は、各国の通貨切り下げ競争をも誘発し、新興諸国におけるハイパーインフレと通貨暴落などを引き金とした現代帝国主義の金融・経済危機をいよいよ深めることになるといわなければならない。とりわけＦＲＢの米国債「無制限」購入によるドルの大量バラマキは、金の裏づけのないドルが事実上の基軸通貨として居すわる国際通貨体制を根底から揺るがし、習近平・中国が企む「一帯一路」経済圏づくりとこれを基礎としたデジタル人民元網の構築を促迫することによって、米・中の軍事的・政治的・経済的激突の危機を一気に高めるであろう。

＜パンデミック恐慌＞ののりきりを策していよいよ危機を深める現代帝国主義およびネオ・スターリン主義中国による労働者・人民への一切の犠牲転嫁をうち砕くために、労働者階級のインターナショナルな団結を創造してたたかうのでなければならない。

（二〇二〇年五月五日）

反スタ運動の真髄をわがものに！

講演「革命論入門」を学習して

瓜戸佳代

二〇一九年の秋から冬、私は仲間たちとともに黒田寛一さんの講演「革命論入門」(一九六二年十一月二十三日。『マルクス主義入門第四巻 革命論入門』KK書房刊所収)を学習した。大先輩がチューターをやってくださり、黒田さんの革命論の核心を大変面白く・分かりやすく教えてくれた。「五大要求」を掲げてたたかい続ける香港の学生・労働者たちにたいして、中国・習近平政権とこれに突き動かされた香港行政府が大弾圧を加えていたなかで、私たちはこれを弾劾する闘いをくりひろげるとともに学習会をおこなってきた。たたかう香港の人民に、彼らが立ち向かっている〝敵〟はニセの社会主義としてのスターリン主義であることをいかに自覚させるのか、香港の地に反スターリニズムの運動と組織をいかにつくりだしていくのか、私じしんがこの現実において実践的に問われていたことが、学習会で教わったこと・論議してきたことと密接に絡みあった。

黒田さんはこの講演のなかで「われわれの過去五年間にわたる闘いのなかで、革命理論において成果をあげえたと、もし言うことができるとするならば、それはただ一つしかありえない。それは戦略・戦術

・組織戦術というこの三つの連関をはっきりと自覚し、それをわれわれの闘争戦術のなかにぶちこんできたという、この一つだというふうに言ってもいいと思うんだ」(本書三六頁。以下、引用は頁数のみ記す)と語っている。「組織戦術というものを革命論のなかにぶっこんだ」(六四頁)とも言われている。チューターも「ここが大切なんだ」と何度も力説されていた。不断の階級闘争・大衆運動を推進するただなかで、反スターリニズムを自覚した担い手を、核心的には反スターリニズムの党組織をいかにつくっていくか、という問題を革命論のなかに位置づけたということ。これが反スターリニズムの革命論の独自性なんだ、と。私はこのお話を聞き驚いた。苦手意識があってあまり学習してこなかった領域だが、反スターリニズム運動において極めて重要な問題だと思った。「成果をあげえたただ一つのこと」とまで黒田さんが言われていることの重みを、私はしっかりと考えなければならない。

キューバ問題をめぐる同盟内思想闘争

黒田さんはキューバ問題において露呈した革共同政治局内多数派の腐敗を暴露し、官僚化した指導部との同盟内思想闘争を当時のマル青労同やマル学同の労働者・学生たちによびかけるために、この講演をおこなっている。黒田さんは次のように問題提起している。

「まず第一に、現段階における反戦闘争の論理とは一体何なのか、ということをもう一度われわれが反省しなおさなければならないという事態に陥ったのは、ほかならぬこの現在起こっているキューバ問題をめぐる諸論争、これは同時に、われわれの反戦闘争にかんするつかみ方がなお浅いということを自己暴露した以外の何ものでもありえない。」(一一頁)

一九六二年十月二十二日に生起したキューバ危機。これに際して革共同機関紙『前進』第一〇七号に掲載されたアピールは、キューバへの海上封鎖に踏みきったアメリカ帝国主義のみを批判し、ソ連政府によるキューバへのミサイル基地建設を弾劾することを欠落させた代物であった。さらに、これにたいする早稲田大学細胞などからの批判に応えると称して掲載された「編集局自己批判」ならびに『前進』第一〇九号掲載の北川登論文は、第一〇七号のアピールを何ら根本的に反省するものではなく、下部同盟員からの批判を政治技術主義的にのりきるためのものだった。全世界で唯一、全学連がたたかった「米・ソ核実験反対」の反戦闘争のただなかで掴みとられた理論的教訓――すなわち、〈反帝・反スターリニズム〉の戦略を実現していくためには、同時にこの戦略を実現する担い手を、スターリニズムからも社会民主主義からも理論的にも政治的にも組織的にも完全に訣別した、革命的プロレタリアの組織をつくりださなければならないということ。「米・ソ核実験反対」はたんなる戦術的問題ではなく、同時に、反スターリニズム運動の組織をつくりあげていくという組織づくりの問題として統一的にとらえなくてはならないこと。ここに貫かれている論理を黒田さんは「運動づくりと組織づくりの弁証法」として明らかにしたのだった。このようなわが革命的反戦闘争の論理の基本を、政治局内多数派がかなぐり捨てていることが、キューバ問題において露呈したのだ。

チューターは「すべての党派は、〝運動論は運動論〟〝組織論は組織論〟というようにバラバラに論じることしかできない。これにたいして黒田さんは、『運動＝組織論』というように運動づくりと組織づくりとを弁証法的に統一してとらえることを追究してきたよね。組織づくりは真空のなかではできない、運動づくりなしにはできない。でも運動づくりだけでは組織はできないという矛盾。黒田さんは、この矛盾を『組織戦術の貫徹』ということを位置づけることによって解決し突破した。運動づくりのただなかでつねに反スターリニズムの組織戦術を貫かないと組織をつくることはできない、このわれわれの運動＝組織路線の基本を風前の灯にしたのが政治局内多数派だったわけだ」と教えてくれた。私は、過去五年間の闘いのなかで黒田さんが一からつくりあげてきた反スターリン主義運動の運動＝組織路線の基本を守り抜くために必死でこの講演をおこなったのだと感じ、黒田さんの怒り・パトスをわがものにしなければ、と強く思った。

黒田さんの危機感・怒り・パトス

講演のなかで黒田さんは、北川登の論文にたいして激烈に批判している。この口調にこめられた怒りは、並々ならぬものだと感じた。

「北川論文というものは、わが同盟の最も醜悪なるかたちを露呈させたものといって僕は過言でないと思う。」（二七頁）

北川登の書いた論文では、当初彼らが「アメリカ帝国主義のキューバ封鎖反対」「これ自身が、当初は「アメリカはキューバから手をひけ」としていたことをごまかしたもの」の大衆闘争をよびかけたことを「至極当然だった」と居直ったうえで、「海上封鎖にたいして、ソ連官僚政府が〝キューバのミサイル基地建設の中止〟を決定した以後は、キューバ問題は新しい段階に入ったのであり、たんに〝アメリカ帝国主義のキューバ封鎖反対〟のスローガンを掲げるだけではまったく不十分となった」と主張されている。下部同盟員からの批判に応えるかのように装っているけれども、これはまったくの欺瞞だと私は感じた。早大細胞などから出された「何故ソ連政府を弾劾しないのか。革命的反戦闘争の基本路線が蒸発しているじゃないか！」という批判を蹴飛ばすものだ。〝はじめは正しかったが、客観的情勢が変わったから自分たちの態度も変える〟というような〝反省〟は、自分じしんを括弧に入れたゴマカシだと思う。

黒田さんは、北川のなし崩し的な態度にたいして「これはわれわれの立場ではないんだ！」と徹底的に剔りだしていく。

「『前の段階では大衆闘争をやる段階、今日の段階では思想闘争をやる段階』というふうに分けるのを、これをレーニン主義という。これは悪い意味なんだな。レーニンという言葉を使っちゃ悪いけど、ゾウリムシというんだよ、これを。……或る一定の事態にたいして対処するということは絶対必要だ。しかし、きのうの段階ときょうの段階との対処のしかたの根底につらぬかれるものがなければならないわけだ。……〔団子を例にとり〕あの竹の棒というものがだな、われわれの反スターリニズム運動だということをな、はっきりつかんでおかなけりゃいけない。」（二八〜三〇頁）

「〔北川論文には〕キューバに、アメリカに、われわれと同じような反スターリニズム運動をいかにつくりだしていくのか、そういう組織戦術を貫徹するという立場がまったくぬけおちているということだ。……われわれはトロツキーの立場にたって、キューバに連続革命を、永久革命を、あるいは永続革命を貫徹するという立場を貫徹させなければならない。……ああいうキューバ問題というのをきっかけとしながら、まさにそういう絶好のきっかけとしながら、あの中にわれわれは反スターリニズム運動をつくりだしていくという立場を貫徹させていかなきゃならないわけだ。」（三〇〜三一頁）

黒田さんは一貫して、反スターリニズムの組織をいかにつくっていくかが欠落している！　と北川ら政治局内多数派を批判している。「キューバに、アメリカに、反スターリニズム運動をいかにつくりだしていくのか」、この問題意識に私はとても驚かされた。「組織戦術の貫徹」とはこういうことなのか！　私はいつも「何だか難しいな……」と身構えてしまうが、黒田さんは実に端的に明らかにしている。しかし、自分自身がこれを不断の大衆闘争の推進のただなかでどれだけ貫けているか……。直接は政治局内多数派にたいする批判だけれども、私は黒田さんによる批判を主体的にうけとめないわけにはいかない。

「キューバ問題を絶好のきっかけとして」という黒田さんの構え方も、自分とは全然違う、と思わされる。私じしん、香港問題と対決するなかで「香港人民に、そして中国本土の人民に、反スターリニズムの自覚をつくらねば！」と決意し、習近平政権を弾劾する闘いを担ってきた。しかし当初は、「なかなか難しい問題が起きたなぁ」「どうしたらいいんだろうか……」と、尻込みする感覚もあった。もちろん構えだけの違いではないけれども、黒田さんはすごく攻勢的に構えているなと思う。さらに北川がアメリカ帝国主義とソ連とを「二人のギャング」とか「前門の虎、後門の狼」などと同列に並べること（赤色帝国主義！）にたいして、黒田さんは「断固として拒否する」と断言していることも重要だと思う。アメリカ帝国主義と並列にしてはむしろ損なんだ、スターリニストの反人民性を断固として暴き、運動の担い手を反スターリニズムの側に立たせるんだ、という確信が伝わってくる。北川らとはスターリニズムとの対決のしかたが根本からまったく違うのだ。

さらに黒田さんは、政治局員たちの政治技術主義的な対応のおかしさを徹底的に批判し、以下のように喝破している。

「こういう情勢分析主義とその裏側にある大衆運動主義、つまり反スターリニズムの組織をいかにつくりあげていくか、そういう立場の欠如した論文を執筆する、これはたんに技術的な問題じゃなく思想問題として追求し明らかにしていかなければならないと、われわれは考えるわけだ。だから、キューバ問題というのは『方針のだし方がちょっと間違ったからむさい』と、『これは新しい論文を書いて訂正すればいいんだ』というふうに問題をずらかしていくならば、今度でてきたとまったく同様の問題が、再びくりかえされるであろうということを僕は断言していいと思う。」（三五頁）

黒田さんは何とも表現しがたい必死な様子で訴えている。反スターリニズムの立場を欠落させた自分たち自身を根本からつくり変えろ、ここを回避したならばわが組織が壊れてしまうんだ、と真剣勝負の思想闘争に臨んでいる。凄まじい危機感だ。しかしこの黒田さんの渾身の訴えにたいして、政治局員たちは何一つ応えず逃げるように会場を去っていったという。彼らは、大衆運動を推進するただなかで反スターリニズムの組織をいかにつくるかという核心問題を本当に理解しえなかったのだ。そして、理解しえなかった自分たちじしんを変革する追求を放棄しさったのだ。私は彼らの姿に強い怒りを感じる。

黒田さんは、この講演の直後の一九六二年十二月八日、ついに革命的分派の結成を最後的に決断している。一九五六年のハンガリー労働者の決起とその敗北をソ連圏における流産した革命としてとらえかえし、スターリン主義党に代わる真実の前衛党の創造をめざしてたたかってきた黒田さんにとって、この決断は非常に重いものであったと思う。だからこそ私は、黒田さんが分派をつくってまで守ろうとした反スターリン主義運動の運動＝組織路線を場所的にうけつぎ、自分たちの実践に貫くのでなくてはならない。

常に現実問題と対決した黒田さんの姿勢に学ぶべし！

学習会でチューターがもう一つ強調されていたことがある。黒田さんの問題意識はつねに現実の闘いから出発していた、ということである。黒田さんは「革命的マルクス主義の旗のもとに」という論文の中で、「反帝・労働者国家群の擁護」を戦略とする第四インターにたいして、黒田さんたちの戦略を明らかにしている。

「われわれは、これに対して『反帝・スターリニスト官僚（政府）打倒』を戦略目標とし、スターリニストならびにスターリニズム（その今日形態としてのフルシチョフ路線）との断乎たる闘争をとおして、同時に帝国主義諸国家権力を永続的に粉砕してゆく革命的マルクス主義に立脚して革命闘争を展開するのでなければならない。……反ド・ゴールは同時に反スターリニズムとして実現されなければならない。」（『逆流に抗して』こぶし書房刊、三二頁）

チューターは以下のように教えてくれた。「われわれの世界革命戦略には反スターリニズムの組織戦術が明確にくみこまれている。反帝闘争の過程に反スターリニズムの組織戦術を貫くということ。理論的にソ連論を深めてから〈反帝反スタ戦略〉を解明した、ということではない。黒田さんは反ド・ゴール闘争の敗北の根拠を掴んだ。フランスのトロツキストがなぜフランス共産党の尻押ししかできないのか、それは、彼らの『労働者国家無条件擁護』戦略に問題があるんだ、戦略の中に反スターリニズムの組織戦術がくみこまれていないからだ、と。極めて現実的な問題と対決することによって〈反帝・反スタ〉世界革命戦略をうちだしてきた。こういう黒田さんの実践的な問題意識をぜひ汲みとってほしい」と。この話はとても面白かった。確かに黒田さんは講演の中でも「スターリニスト党をどうぶっこわすのか、そういう現実的課題に直面させられ、スターリニスト党の戦略•戦術、代々木の戦略•戦術を批判するそのなかで、どうしても実体的な問題として組織戦術の問題を一本ぶっこまなければ駄目だ、ということの自覚をもちはじめた」（六五～六六頁）と語っている。現実の革命運動のただなかで反スターリン主義の革命論を一歩一歩開拓してきた黒田さんの息づかいを感じた。とても重要なことを教えていただいた。

以前仲間とともに〈反帝・反スタ〉世界革命戦略がどのように解明されてきたかをテーマに学習したことがあるが、世界革命戦略の中に反スターリン主義の組織戦術がくみこまれている、という核心的なことをまったく掴めていなかったと痛感する。私は解明した主体である黒田さんを抜かして、論文ごとの字句の違いを解釈することしかできなかった。これでは、私じしんが生きている現実の問題にたいして対決できなくなってしまう。私じしんが、黒田さんのように今私のおいてある二〇二〇年の場所に内在し、この場所が提起してくる課題を解決するためにどうするのかと常につねに考え・実践しなければならない。講演の中で黒田さんは最大限綱領主義におちいっている政治局内多数派どもの原則主義的な思考法を批判しつつ、「下向的な頭の回し方を体得せよ」と参加者に何度も叱咤している。私も下向分析的な思考法をわがものとすることを自分じしんに課し、頑張りたい。

黒田さんの次の言葉が、私の脳髄深くに刻まれている。

『組織』『組織』って言ってるとずいぶんみみっちいなと思うけどな、やっぱりね、組織なしにはたたかえないんだよ。」（八一～八二頁）

この黒田さんの言葉の重さ・深さをしっかりと噛みしめ、仲間とともに奮闘せん！　帝国主義とスターリン主義によって、全世界の労働者階級がありとあらゆる悲惨を強制されている〈暗黒の二十一世紀〉を覆すべく、反スターリン主義運動の怒濤の前進をかちとるぞ。

（二〇二〇年二月）

〔追記〕さる五月二十二～二十八日に開催された全人代において、習近平政権は、「国家安全法制」を香港に導入することを決定した。新型コロナ・パンデミックの下で没落をあらわにするトランプ政権を横目に、中国ネオ・スターリニスト政権は香港労働者・人民の反中国中央政府の闘いを壊滅するために・「高度な自治」を認めた「一国二制度」を最後的に葬りさり、香港の「中国化」を強権的・軍事的におしすすめる一大攻撃に踏みだしたのだ。私は、習近平政権によるこの決定を満腔の怒りをもって弾劾する。苦闘する香港の学生・労働者と連帯し、香港に、そして中国本土に、反スターリニズム運動のケルンを創造する立場にたって、たたかう決意である。

（六月）

講演「革命論入門」を学習して

〈組織戦術を貫徹する〉ということ

無量寺玄海

私たちは昨二〇一九年に、反スターリン主義運動の大先輩のSさんにチューターを担っていただき、『マルクス主義入門第四巻 革命論入門』(黒田寛一講述、KK書房刊)の学習会をおこなってきた。Sさんに様ざまなエピソードを紹介してもらいながら、黒田さんの講述をテープを聴きつつ読みすすめた。私はこの学習会をつうじて、われわれが大衆運動をおしすすめていくためには、あるいは革命的反戦闘争を創造していくためには、つねに必ず〈組織戦術の貫徹〉ということをおのれの肝にすえなければならないのだ、と強く思った。このことを私じしんのうちに確固としたものとしてうち固めていくために感想文を書いていきたい。以下、学習会で特に強く印象に残ったことを中心にふり返っていく。

I キューバ問題と対決する黒田さんの気迫・情熱

「I 現段階における反戦闘争の論理とは何か」の章で、黒田さんは『前進』一〇九号の北川登論文(「キューバ問題の現段階について」一九六二年十一月十二日付)を徹底的に批判する。まずはじめに北川論文を、「わが同盟の最も醜悪なるかたちを露呈させたものといって僕は過言でないと思う」(二七頁、傍点は原文。以下同)と弾劾する。この黒田さんの声の激しさと迫力に、私は体がビリビリと震えた。北川らAG《アージェー》(反戦学生同盟)主義者への黒田さんの怒りがこんなにも強いものだったのか、とあらためて驚いたからだ。

つづいて黒田さんは、北川論文の欠陥を暴きだしていく。まずキューバ問題の分析が客観主義的な「情勢分析主義」に陥っていることについて。黒田さんは「俺たちがどうするのかという、われわれの運動をちゃんとつかまえることなく、ただたんにアメリカがどうしたの、フルシチョフがどうしたの、というような客観的な解説をおこなっている」(二八頁)とその誤りを突きだしている。この主体的立場を欠落させた情勢分析主義は、大衆運動主義と表裏をなす深刻な誤謬であることを黒田さんは暴きだす(三五頁)。情勢分析をおこなう場合も、俺たちがどうたたかうのかという実践的立場に立つことがきわめて大切なのだ。

さらに黒田さんは、北川がキューバ危機の時は「大衆運動の段階」、緊張が収まった時点では「思想闘争の段階」というように、情勢の変動に対応して〝豹変〟していることを「ゾウリムシ」と批判し、つねにわれわれの闘いの根底に貫くべきものは何かを明らかにする。

ここで黒田さんが団子の話をしている。〝団子は竹の棒で貫いていないと団子じゃない。ただのきび団子のような形になってしまう。しかしここに棒をつっこむと筋金がとおる。この竹の棒がわれわれの反スターリニズム運動だ。団子の大きさはその時々の大衆闘争の高揚をしめすわけだよ。〟(三〇頁)

非常に分かりやすく私はとてもイメージがわいた。われわれは、反スタ運動を前に進めていくという立場を、大衆運動の推進のただなかで一貫して貫いていかなければならない。黒田さんは、団子にとおす棒を「筋金」と言っていた。とても分かりやすく良い表現でイメージがわく。この筋金が反スタの立場であり反スタの組織戦術なのだ。このことを肝にすえ、日々の闘いにしっかりとした「筋金」をとおしていきたいと思う。

　そして黒田さんは、北川の立場は「キューバに、アメリカに、われわれと同じような反スターリニズム運動をいかにつくりだしていくのか、そういう組織戦術を貫徹するという立場がまったくぬけおちているということだ」（三〇〜三一頁）と核心的問題をえぐり出す。そしてポジティブに、「われわれはトロツキーの立場にたって、キューバに連続革命を、永久革命を、あるいは永続革命を貫徹するという立場を貫徹させなければならない」と熱烈に訴える。この黒田さんの声もすごい迫力で、私はふたたび体がビリビリと震えた。〈反帝・反スタ〉の世界革命を実現せんとする黒田さんの革命家としての気迫・情熱を感じた。この姿勢を私は見習わなければならないと思った。

　つづけて黒田さんは、「ああいうキューバ問題というのをきっかけとしながら、まさにそういう絶好のきっかけとしながら、あの中にわれわれは反スターリニズム運動をつくりだしていくという立場を貫徹させていかなきゃならないわけだ」と語る。この「絶好のきっかけとして」という表現に、私は黒田さんの貪欲な姿勢を感じた。〝大衆運動のただなかで団子の串のように反スタ運動を貫いていく〟、すなわち日共翼下の既成反対運動をのりこえ革命的反戦闘争を創造すると同時に、このただなかで反スタの前衛党組織づくりに結実させていく、この基本的立場をつねに貫徹することが極めて大切なのだと私は肝に銘じたい。

香港問題に反スタの立場を貫く

　Sさんは、「黒田さんはキューバ危機は反スタ運動をつくるチャンスと考えた。今われわれが直面している香港問題も、われわれが中国ネオ・スターリン主義と対決するチャンスだ」と提起してくれた。これを聞いて私は「そうだ」と共感した。黒田さんのように、われわれも現時点の香港問題に反スタの立場を、あるいは反スタの組織戦術を貫徹しなければならないのだ。

　われわれは、香港人民の決死の闘いを弾圧する習近平政権を徹底的に弾劾しつつ、中国型スターリン主義と対決する自覚を全世界の労働者・学生に促していかなければならない。とりわけ香港の人民にたいしては、北京官僚のいう「一国二制度」のマヌーバー性・反プロレタリア性を徹底的に暴きだし、ネオ・スターリニスト習近平政権を打倒するための非合法の組織（地下党）を創造すべきことを呼びかけなければならない。私はSさんの提起を聞いて、黒田さんが創造した反スタの革命理論を日々の私たちの闘いにドシドシ適用していかなければならないとあらためて決意した。

Ⅱ　「組織戦術を革命論のなかにぶっこんだ」とは？

「Ⅲ　われわれの世界革命戦略と革命理論の追求」の章の冒頭で、黒田さんは「われわれが革命理論においてなしとげた唯一の事柄といってもいい問題は、組織戦術というものを革命論のなかにぶっこい、んだということだ」(六四頁)と語っている。このことはⅡ章の冒頭でも言われていた。私は、黒田さんが「われわれが革命理論においてなしとげた唯一の事柄」とかなり控えめに言っているのを聞くたびに、「え～そんなことはないだろう」と直対応的に思ってしまう。だが今回感じたのは、黒田さんが「唯一の成果」とまで言っているということは、逆にそれほど大切な核心問題だということを強調したかったのだということだ。

黒田さんは上述のことを言いかえて、「プロレタリア革命をいかに実現するか、ということを提起したということなんだ」(同上)と語る。この「いかに」ということが重要なのだと思う。Sさんは、「前衛党創造に踏みだしたレーニンにおいても、戦略戦術論と組織論は統一されていなかった。黒田さんは、スターリン主義が全世界の階級闘争を支配している今日、どうやって前衛党を創造するのか、大衆運動の推進のただなかでどうやって反スターリン主義の自覚をもった労働者を組織していくのかと考えた。そうやって運動論と組織論の統一を追求していったんだ」と教えてくれた。黒田さんは、マルクスやレーニンの革命論を受け継ぎつつも、彼らがなお追求しえなかった「いかにプロレタリア革命を実現するか」、この「いかに」の実体の創造の問題を「組織戦術論」としてマルクス主義革命論に位置づけたのだ。まさに偉大な理論的成果であると私はイメージがわいた。

だが、この「大衆運動場面への組織戦術の貫徹」というわが同盟の運動＝組織路線の基本を「風前の灯火」にしてしまったのが、武井健人や北川らの政治局内多数派であった。彼らは「戦闘的労働運動の防衛」(六二年九月の三全総)の名において、同盟の独自的な活動を軽視し、労働運動の左翼的展開を自己目的的に追求したのであった。この「わが同盟の内部に移植され発芽した『ブント主義』、つまり変形されて成長したブント主義としての大衆運動主義＝労働運動主義的偏向」(『革命的マルクス主義とは何か?』こぶし書房刊、二七五頁)を根底的にうち砕くために、黒田さんは死にもの狂いでたたかったのだ。先の北川論文への激しい怒りは、革共同の基本路線を何としても守り通すという責務と気概の表れなのだと思う。

　黒田さんは、この「大衆運動主義」という偏向と断固として対決して、革共同の第三次分裂を革命的に実現した。彼はこの闘いのただなかで「組織戦術の貫徹」というわが同盟の運動＝組織路線の基本を守り抜きつつ、さらに一歩すすんで前衛党の組織戦術を大衆運動場面にどのように貫徹していくのかの実体構造の解明へと踏みだしていったという。運動＝組織論をはじめとする組織現実論の開拓である。黒田さんや先輩たちが命がけで守り発展させてきた反スタ左翼の基本路線を、私もまた受け継ぎ・おのれの血肉とするためにがんばりたい。

Ⅲ　世界革命戦略に「反スターリン主義」の組織戦術を組みこむ！

　黒田さんは、世界に冠たる＜反帝・反スタ＞戦略の創造をも成し遂げていった。だが黒田さんによると、当時この＜反帝・反スタ＞戦略には様ざまな誹謗が加えられていたという。「ソ連論なき、あるいは現代資本主義論なき『反帝・反スターリニズム』は空虚だ」（八五頁）というように。黒田さんは、こうした誹謗に消耗してしまうマル学同員を「ナンセンス」と批判しつつ、「ソ連は何だ、というふうな結果的な規定をあたえることが問題じゃないわけだ」「諸君自身によって今後の闘争をつうじてだな、ソ連論、それから現代資本主義論はうちだしていかなきゃならない」と奮起を促す。

Sさんは「∧反帝・反スタ∨戦略は、ソ連邦をどう見るか、というソ連論の理論的確立にふまえて出てきたのではなくて、不断の階級闘争のなかでどうやってスターリニスト党を解体し真実の前衛党を創造していくのか、そういう実践的な問題意識から黒田さんは∧反スタ∨を戦略に組み入れたんだ」と教えてくれた。Sさんは、〝対馬忠行が「現代ソ連邦とは何かを理論的に解明することなく、∧反帝・反スタ∨戦略がうちだせるのか」と形式論理的な批判をしてきたことにたいして、黒田さんはおそらく「オレは反スターリン主義の闘いを前に進めるという実践的な問題意識から∧反帝・反スタ∨をうちだしたんだ」と考えたのではないだろうか〟と語ってくれた。不断の階級闘争のなかでスターリン主義と対決していく、その実践をいかにということが黒田さんの理論創造の基底にあるものなのだ。黒田さんの実践性を感じ、私はあらためてすごいと思った。

一九五八年フランスでの反ド・ゴール闘争において、第四インター・フランス支部は「アンチ・ファシスト委員会に支持された社共政府樹立」という方針を提起し、「共和制の防衛」を掲げたスターリニスト党や社会党の尻押しに堕してしまった。黒田さんはこの問題を切開し、第四インターの堕落の根拠は彼らの「反帝・労働者国家無条件擁護」戦略にあると突きだしたのだ。Sさんは、「第四インターがフランス共産党の尻押しに堕してしまったのは、戦略のなかに反スターリニズムの組織戦術がくみこまれていないからなのである。黒田さんはこれをのりこえて、革命戦略のなかに反スターリニズムの組織戦術をくみ入れたんだ」「当時は反帝闘争の過程に反スタの組織戦術を貫くとも表現していた」と教えてくれた。（註）

こうした現実の階級闘争の問題、スターリニストによる闘いの歪曲に抗していかに大衆運動をおしすめるのか、そしてまたスターリニスト党を解体し反スタの前衛党をいかに創造するのか。黒田さんは、こうした実践的問題意識から∧反帝・反スタ∨戦略を創造してきたのだ。私のもともとの∧反帝・反スタ∨戦略の理解は、反帝・反スタの世界革命をめざすという未来的な目標のようなイメージであった。しかしこの戦略は、たんに革命の目標を掲げたものではなくて、反スターリニズムの組織戦術をそのうちに含んだ立体的で実践的な闘いの指針なのだと、私は今回の学習をつうじてはっきりした。この∧反帝・反スタ∨戦略を遠い未来の目標とするのではなく、まさに私が場所的に∧反帝・反スタ∨戦略を適用し実現していくこと、これが黒田さんの追求を受け継ぎ生かすことになるのだと思った。

さいごにSさんは、黒田さんが晩年、下向分析的な思考法を身につけるために『逆流に抗して』(こぶし書房刊)と『現代における平和と革命』(同)を読み直すように、と言っていたと教えてくれた。「∧反帝・反スタ∨戦略をKKさんがどう創造してきたのか、これを考えたら『反帝・反スタの反戦闘争』の提起のような∧反帝・反スタ∨からの天下りはでてこない」とSさんは力を込めて言われた。私は今回の学習会をつうじて、当時の黒田さんがどういう場におかれていて、どのように苦闘していたのかを少しではあるが追体験し、イメージをわかせられたと思う。今後も黒田さんの苦闘を追体験することを心がけてさらに学習していく決意である。

註『現代における平和と革命』「第三章　現代革命の展望」で次のように論じられている。「スターリン主義官僚打倒の組織戦術が展開されうるのは、そもそも現段階における世界革命戦略の一環として反スターリン主義がくみこまれているからであり、この戦略の現実的適用としてのみスターリン主義官僚打倒という組織戦術の遂行は現実性を獲得しうるのだからである。」(二六二頁)

　また『逆流に抗して』においても「反スターリニズムの世界革命戦略へのくりこみは同時に『労働者国家無条件擁護』の否定をふくみとしてもっていた」(三四頁)と述べられている。

　戦略そのものに「スターリン主義打倒」の組織戦術がくみこまれていなければならないという黒田さんの問題意識が鮮烈にしめされている展開だと思う。

(二〇二〇年二月十二日)

一九七六年ロッキード反戦闘争

1　ロッキード疑獄暴露を契機に反戦闘争の高揚かちとる

一九七六年二月に、ほかならぬアメリカ帝国主義権力者の一部によって暴露され、世界各国の権力者を震撼させたロッキード疑獄事件。日本でも、次々と明らかにされる前首相・田中角栄をはじめとした権力者どもの腐敗し腐乱しきった姿を眼前にして、労働者・勤労人民の怒りが澎湃《ほうはい》としてまきおこり、日を追って高まっていった。だが、社共既成指導部は、問題の一切を「自民党の金権体質」や「戦後保守政治の対米従属的性格」なるものにしぼりあげ、この年に予定されていた総選挙への集票をあてこんで、労働者・人民の怒りを「真相究明」を要求する運動へとねじまげ封じこめようとした。この結果、同年七月二十七日の田中逮捕を頂点として、一切の闘いは「疑獄究明」の先頭に立つかのようなポーズをとった当時の首相・三木武夫を擁護し尻押しするものへと解消されようとしたのだ。

まさにこのような危機を突破してゆくためにわれわれは、社共指導下の「真相究明」運動をのりこえ、「ロッキード疑獄弾劾！」の闘いを〈反戦・経済の軍事化阻止〉の闘いとしてたたかいぬくべきことを提起し、〈ロッキード反戦闘争〉を労学両戦線で組織化し全力でたたかいぬいた。この疑獄が日米安保同盟を担う日本の軍事力強化とからんでひきおこされたそれ、すなわち〈軍事疑獄〉であり、また日本の支配階級の一部による「疑獄暴露」は同時に兵器国産化への道を掃き清めるものであること、三木による「真相究明」が実はこのような反人民性をおしかくすたくらみにつらぬかれていること。――これらを暴きだして、この攻撃への階級的反撃をわれわれは組織化したのだ。

「ロッキード汚職糾弾」を掲げて4・14政治ストに決起した動労（1976年4月13日）

動労が〈疑獄弾劾〉の政治スト
全学連・反戦四〇〇〇名が決起

四月十四日、国鉄動力車労働組合は、その内部でたたかう戦闘的・革命的労働者の苦闘に支えられて、「ロッキード汚職弾劾！」を掲げた政治ストライキを打ちぬいた。七六春闘のただなかでかちとられたこの闘いは、前年の七五年秋に「ストライキ権奪還」を掲げて二〇〇時間にわたって打ちぬかれた「スト権スト」につづく政治ストライキであった。総評指導部の抑圧に抗したこの闘いによって、労働者的質をもつ〈疑獄弾劾〉の闘いを創造する突破口が切りひらかれたのだ。また労働戦線内部のこの闘いに呼応して、全学連と反戦青年委員会は、4・28沖縄デーに首都四〇〇〇名規模で統一行動を実現し、「ロッキード疑獄弾劾！　P3C導入阻止！　兵器国産化反対！」を掲げてたたかいぬいた。さらに全国各学園そして各職場において、創意工夫をこらした闘いをわが仲間たちは次々と創造した。

　労学両戦線におけるロッキード反戦闘争のこ

のような高揚は、〝驚天動地〟の大混乱に陥っていた支配階級を恐怖のドン底におとしいれ、激しい憎悪をよびおこした。それは第六次謀略(七六年三月〜七七年四月)のただなかにおいてついには全学連・反戦青年委のデモに謀略部隊が前代未聞の火炎びん攻撃をしかけるところにまでエスカレートしたのだ。だが、戦闘的・革命的な労働者・学生は、ひるむことなく〈反戦・経済の軍事化阻止〉の闘いをおしすすめた。

「同盟国」であるアメリカの一部権力者による海をこえての自民党政権要人の一大疑獄暴露。これをめぐる日本支配階級の大混乱。そして社共既成指導部の「真相究明」運動への埋没——およそこのような、国際的な疑獄事件の暴露というこれまで経験したことのない現実と対決しつつ、右のようなかたちでロッキード反戦闘争を創造し推進したわが闘い。この過程は他面では同時に、ロッキード疑獄をめぐる情勢の分析および方針解明をめぐって活発な内部論議をくりひろげ、きわめて豊富な理論的諸教訓を組織的につかみとってゆく過程でもあった。この意味でも、ロッキード反戦闘争の経験を今日的にふりかえることは、きわめて大きな意義をもっているのである。

2　各国権力者を震撼させたロッキード疑獄暴露

一九七六年二月四日に、アメリカ上院多国籍企業小委員会(チャーチ小委員会)はアメリカ産軍複合体の一角を構成している巨大軍需独占体・ロッキード社の七二年当時の軍用機および民間航空機売りこみにともなう一大贈賄事件をセンセーショナルに暴露した。

「国境を越えて展開するアメリカ多国籍企業のビヘイビアを国家的に規制する」という名のもとに、アメリカ連邦証券取引委員会(SEC)が、軍需独占体ノースロップを告発し、さらに石油メジャーズの一つであるガルフ・オイルが韓国沖の海底油田の採掘権を獲得するにあたって韓国大統領・朴正熙に四〇〇万ドルを贈賄した事実を告発した(七五年十二月「マックロイ報告」)。この直後に、ロックフェラー系の政治エリートであるチャーチ——彼は副大統領ネルソン・ロックフェラーが委員長をつとめる政府のCIA調査委員会と呼応するかたちで上院につくられた・CIAの海外での違法活動を調査する特別委員会の委員長でもあった——の委員会が、ロッキ

労学4000名が明治公園から国会に向け戦闘的デモ（1976年４月28日）

ード社を槍玉にあげたのである。

この暴露によって全世界の権力者は震撼させられた。日本・韓国・西ドイツ（当時）・フランス・イタリアさらにオランダ・スペイン・ギリシャ・トルコ・スイス・スウェーデンなどの政府高官・王室関係者・航空関係者が軒並みにロッキード社から多額の賄賂を受けていた事実が衝撃的に露わになった。イタリアでは現職大統領レオーネじしんが主犯であることが露見し、モロ内閣は総辞職に追いこまれた。韓国では、一九七三年に米ＣＩＡの手によって暗殺寸前で救出された・アメリカ東部系の秘蔵っ子政治エリート＝金大中が尹潽善とともに「民主救国宣言」を発して、この暴露に呼応した。

このように、連続的におこなわれたアメリカ多国籍企業の不正行為・贈賄事件の暴露に特徴的であったことは、ノースロップ、ガルフ・オイル、ロッキードのいずれもが、アメリカ合衆国西・南部のいわゆるサンベルト地帯の新興独占体（中核的金融資本は、カリフォルニア州に本拠を置いていたバンク・オブ・アメリカ）に属する独占体だったということである。いいかえれば当時、国際的批判を浴びていた多国籍企業ＩＴＴ――ＣＩＡと組んでチリのアジェンデ政権をクーデタで転覆したピノチェット将軍をバックアップしていた――をはじめとする東部エスタブリッシュメント（ロックフェラー、モルガン、FNCBの三大財閥を基軸とする金融資本グループ）系の多国籍企業には、なんら手がつけられなかったことにある。

アメリカ支配階級内部の血みどろの抗争

ここに露骨に示されていたように、この時の疑獄暴露の階級的意味は、アメリカ支配階級を二分するかたちで激烈化していた東部系エスタブリッシュメントと西・南部サンベルトの新興独占グループとの「血で血を洗う」激烈な争闘に東部系が勝利したことの宣言というところにあったといえる。そしてこの暴露をつうじてめざされたことは、東部系金融独占資本グループの個別的利害をアメリカ支配階級全体の利害に、そしてアメリカ帝国主義国家の国家意志＝世界支配戦略へと高めるために、あらたに練り直されつつあった世界支配戦略の貫徹にとっては桎梏的諸要因に転化するであろう部分を暴力的に排除することであったといえるのだ。

このロッキード暴露を歴史的にとらえかえすならば、それは、西・南部の新興独占体を基盤としていた大統領ニクソンをその座から追い落とすために東部エスタブリッシュメントがしかけたウォーターゲート・スキャンダル暴露（七二〜七四年）の延長線上に位置づけることができる。彼らは、CIA内部の西・南部系の人脈を切り捨て、CIAのヘゲモニーをみずからのもとに確立するとともに、アメリカ軍産複合体のヘゲモニーを、サンベルトの新興独占体の手から奪還するための一大外科手術にふみきったのである。それは、東部系諸財閥とその意志を代弁する政治エリートが、民主党カーターと共和党フォードの争いとなった一九七六年秋の大統領選挙において、カーターの勝利を確実なものとするために仕掛けた最後の総仕上げのための政治的攻勢だったといえるのだ。

3　解体的再編を開始した戦後日本の支配体制

直撃された田中角栄・中曽根康弘ら「資源自立」派

わが日本の支配階級は、海の向こうからなされた汚職の暴露を契機として、戦後政治支配体制の根幹を揺さぶられ、未曽有の政治危機にみまわれた。丸紅・全日空・さらに戦後保守政治支配体制の背後の黒幕であった元A

級戦犯・児玉誉士夫、この三つのルートで総額三七億円余の黒い金（＝「ピーナツ」とか「ピーシーズ」などの符丁を使ってその素姓が隠されていたそれ）が、ロッキード社から特定の政治エリートの手にわたされていたとされるこの疑獄事件。これを暴露したアメリカの東部系政治エリートの直接の狙いは、核拡散防止条約の批准に「抵抗」し、ウランをはじめとしてエネルギー資源の自主開発をはかった田中角栄一派や中曽根康弘一派に打撃を与えることにあった、といえる。

ところで、あかるみにだされたこの汚職事件をば、田中角栄と彼を支えていた経済エリートにたいする政治的攻撃に活用しようとする日本支配階級内の特定部分がしだいに浮かびあがっていった。そしてその背景には、次期対潜哨戒機ＰＸＬおよび次期戦闘機ＦＸの機種選定をめぐって熾烈を極めた日本独占体内部の争闘、すなわち三井・三菱系の武器国産派と丸紅・日商岩井などの輸入派との抗争があることが明らかになった。

すなわち、七二年七月の田中内閣の成立を契機とし同年八月のニクソン―田中会談における密約にもとづいて、次期対潜哨戒機ＰＸＬ、次期戦闘機ＦＸを国産化するというそれまでの政策が白紙撤回（同年十月）され、「ドル減らしのため」という大義名分のもとにロッキード社製対潜哨戒機Ｐ３Ｃを同社製のエアバスとともに輸入する政策が国家意志として確立した。この逆転劇の背後において莫大な賄賂がばらまかれたのである。まさにこのようにして、ロッキード疑獄事件はその直接性において反共軍事戦略体制の強化にともなってうみだされた軍事汚職事件であることが明らかになったのである。と同時に、日本国内においてこの疑獄暴露を活用している特定の部分は、明確に武器国産化の飛躍的拡大、すなわち「日本経済の軍事化」をおしすすめようとしていることもまた、明らかになったのだ。〔ちなみにこのとき佐藤栄作内閣の防衛庁長官としてＰＸＬ国産化の急先鋒となり、ニクソン―田中会談後には輸入政策への転換を主導したのが、田中内閣の科学技術庁長官（国防会議構成員）となっていた中曽根康弘であった。〕

他方、対潜哨戒機Ｐ３Ｃの導入の背後で動いたのが、田中角栄の「刎頸《ふんけい》の友」たる政商・小佐野賢治であり、右翼の黒幕・児玉誉士夫であったが、この人脈は同時に、日本支配階級が韓国の朴政権との間につくりだしてきた「韓国ロビー」の核をなす諸実体でもあった。岸信介・児玉＝朴正熙・ＫＣＩＡ前部長李厚洛ルート、趙重勲（大韓航空社長・韓進財閥総帥）・朴正熙・金鍾泌＝小佐野・田中・大平正芳ルートがそれである。

瓦解した戦後政治支配体制

岸と田中という二人の巨魁・その背後に控える児玉と小佐野という二人の黒幕、そしてこれらにつらなる人脈と金脈こそが、戦後日本の政治支配体制の最深の暗部をなしていたのであった。まさにこのゆえに、戦後日本の政治支配体制・いわゆる五五年体制は、この軍事汚職の暴露をきっかけとして解体的な再編過程に突入した。

かの「田中金脈」の暴露によって辞任に追い込まれた自民党の首相・田中にかわって、自民党内の極小派閥でありながら〝サウスポー〟のワンポイントリリーフとして椎名悦三郎の裁定によって自民党総裁＝首相に指名されたのが三木武夫であった(七四年十二月)。バルカン政治家を自任する三木は多年の構想であった「保革連合政権樹立」を実現する好機到来とばかりに、ロッキード疑獄事件を徹底的に政治的に利用した。

三木政府はいち早く「真相の究明」を政治姿勢として打ちあげ、この「大義」を掲げた野党を巻きこんでの国会決議をあげ、超党派の議員からなる調査団をアメリカに派遣した。さらには、チャーチ委員会から入手した「灰色高官」にかんする諸資料を公表する権限を握っていることを最大限に利用して、彼は直接には最大派閥・田中派との対決姿勢をおしだした。七六年七月二十七日には、検察当局をつき動かして前首相・田中角栄を、丸紅ルートでの受託収賄容疑で逮捕することにふみきった。

この三木の政治的たちまわりを通して、戦後日本の政治支配体制の暗部が否応なく全人民の前に暴きだされ、かつ五五年体制の崩壊の必然性が明らかになったのだ。

だがこの過程は、同時に、アメリカのフォード政権の意をむかえ日本国家の利害を防衛しようとする三木自身による「日韓疑惑隠し」「Ｐ３Ｃ疑獄隠し」の過程であり、ロッキード軍事汚職事件の本質を「民間航空機汚職事件」にすりかえる過程でもあった。最大の暗部をなし、明らかになっただけでも三〇億円以上のカネが流れた「児玉ルート」には、検察当局は最後まで手をつけようとしなかった。かくして日米安保同盟強化を日本の側から支える政・財・官の人脈と金脈、および非合法的手段をも駆使してこれを補助する〝闇世界〟(「地下帝国」)、その実態と実体は闇から闇へと葬りさられ、無傷のままに温存させられようとしたのだ。

それにもかかわらず野党の総体は「金権・派閥政治の打破」「保革連合」を標榜する三木への幻想に浸りきり、「真相究明」を旗印とする三木内閣を支持し尻押ししつづけた。共産党中央にいたっては、「三木内閣総辞職」

論には「反対する」ことを、第十三回臨時党大会における委員長・宮本顕治の冒頭挨拶においてうちあげる有様であった。

〔三木内閣を退陣においやり福田赳夫の内閣を成立させた(七六年十二月二十四日)日本支配階級にたいして、アメリカ大統領となったカーターは、七七年一月の就任直後からいわゆる〝日韓癒着〟の暴露を開始した。この新たな疑獄暴露は、転換した世界支配戦略にもとづく「在韓米軍の段階的撤退」「南北朝鮮のクロス承認」政策に抵抗しつづける朴政権と、福田赳夫に代表される日本の「親韓派」を一挙に排除するためのものであったといえる。ここにおいては、元アメリカ国務省韓国部長レイナードのリークという形式をとって、金大中の拉致・暗殺未遂事件が朴大統領の直接指令にもとづくKCIAの犯行であり、日本側の中心人物が岸と田中であることがまず暴露された。そして、これを皮切りとしてさまざまな日韓癒着の実態が次々と、全面的に暴露されたのであった。〕

逮捕された田中角栄（76年７・27）

4　社共の「真相究明」運動をのりこえて

日共中央は、ロッキード疑獄事件を「保守政治がもつ体質」である「金権・戦犯・売国」の「三悪政治」を温床にしてうみだされたものと特徴づけた。だが「いま、ここで」、なぜ・なんのために、アメリカ支配階級の特定部分がそれを暴露したのか？　暴露した側の狙い・その階級的意味をも同時的に暴きだすことなく、ただただ暴きだされた疑獄の「真相究明」だけを掲げて組織化された運動なるものは、暴露した側の土俵の上でのその尻押しに終始するものにしかならない。

しかも代々木共産党の宮本＝不破指導部は、七六年内に確実におこなわれる総選挙にむけた集票に、この「疑獄暴露」を利用する観点からとりくんだ。こうして彼らは、自民党領袖による「三木おろし」に抵抗する首相・三木を擁護し「自民党の金権腐敗ぶり」を露わにするかたちでの「真相究明」を要求する運動へと闘いを歪曲したのだ。

われわれは、大混乱と腐敗を露わにした社・共既成左翼のもとに組織された「真相究明」運動をのりこえ、ロッキード軍事疑獄を弾劾する闘いを、反戦・「経済の軍事化」阻止の闘いとしてたたかう方向性を明確にして、ロッキード反戦闘争を大衆的に組織化してたたかった。

田中私邸や軍需独占体に全学連が怒りのデモ

七六春闘決戦時に打ちぬかれた国鉄動力車労組の「ロッキード汚職弾劾」の政治ストライキは、階級闘争場裏において特筆するべき画期的な闘いであった。

この動労の闘いと連帯して、全学連と反戦青年委員会は、4・28闘争を明治公園に労学四〇〇〇を結集してたたかった。「ロッキード疑獄弾劾！　P3C導入阻止！兵器国産化反対！」を高だかと掲げて、集会後に防衛庁―アメリカ大使館―国会・首相官邸に向けて断固たるデモを貫徹した。

学生戦線では、早稲田大学の三自治会（第一文学部・第二文学部・社会科学部）が学生大会を招集してストライキ権を確立し、4・28当日は、二十四時間のバリケード・ストライキを打ちぬいた。また琉球大学短大部の学生自治会は、四月二十七～二十八日の四十八時間ストに決起した。

さらに6・15闘争にむけて、学生戦線においては、全国の学生自治会がそれぞれ創意あふれる抗議行動を展開し、ロッキード反戦の闘いをより大衆的に創造した。

五月二十二日に、東邦大学自治会は、「疑惑の対潜哨戒機P3C」の導入に反対して、同機が配備される予定の自衛隊下総基地にたいして千葉県下のすべてのたたかう学生の先頭にたってデモを組織し、六月十五日には断固たる全学ストライキを打ちぬいた。また、津田塾大学自治会と東京女子大学・一橋大学の学生たちは、「死の商人」というべき日本の軍需独占体である石川島播磨重工・田無工場に怒りのデモを組織し、兵器生産を担っている労働者へのビラ入れを貫徹した。全学連関西共闘の学生は、六月八日に、三菱重工神戸と新明和にビラ入れ・抗議デモを貫徹した。さらに一〇〇名の國學院大学自治会の学生は、ロッキード疑獄の「政治的決着」＝もみ消しをはかる動きを弾劾し、自民党副総裁であり韓国・台湾ロビーのボスである椎名悦三郎の自宅（港区広尾）にたいするデモを貫徹した（六月十四日）。また、学習院大学の学生自治会は単独で、学習院そばの田中角栄私邸に抗議デモを実現した（同十五日）。

早大全学中央自治会は六月十一日に田中邸への「早大一万人デモ」を組織し、同二十五日には大隈銅像前での青空ティーチ・インを組織してたたかった。この闘いに揺さぶられた早大の民青系学生は、ロッキード闘争を自治会として取りあげるか否かをめぐって内部対立をひきおこしたのだ。

謀略を駆使した闘争圧殺に抗して

われわれが組織化したこのロッキード反戦の闘いの高揚にたいする支配階級の、とりわけ田中角栄につらなる権力内謀略グループの恐怖と憎しみはすさまじいものであった。

全学連と反戦青年委は4・28、6・15、6・23の労学統一行動をつうじてつちかったロッキード反戦闘争の力を結集して、いっさいの左翼が闘争を放棄したなかにあって、七月八日に、日米安保協議会阻止の闘いに敢然と決起した。ところが、このわがデモ隊列にたいして、高速道路上から何者かが「火炎ビン」を投擲するという前代未聞の攻撃が加えられたのだ。

同日午後七時五十分ごろ、桧町公園から出発したわがデモ隊が、首都高速三号線に沿って、六本木から溜池に向かって進んでいたとき、溜池交差点手前で、頭上の高速道路に停車したワンボックスの車から突然何者かによって、一升ビンでつくられた火炎ビン三〜四本と、数本の清涼飲料水ビンをつかった火炎ビンとが、わが旗竿部隊をめがけて投擲されたのだ。何人かの学生戦士が火傷を負ったとはいえ、全学連部隊の機敏な対応によって大惨事は阻止された。しかしこれは明らかに大量焼殺を狙った殺人攻撃であった。

警察による犯人の追跡はまったくデタラメであり、高速道路上での犯行であるにもかかわらず犯行車はやすやすと逃走しさった。記者たちの話によれば、警察権力は、犯行車をワンボックス車ではなく「赤い乗用車」などとすりかえ、かつ、「検問にさしかかったらUターンした」などとうそぶいていたのだそうである。

国家権力の数々の謀略的殺人襲撃を追認してきた走狗集団ブクロ＝中核派も青解派のいずれも、この火炎ビン攻撃を追認しなかった。わがロッキード反戦闘争への支配階級からする回答が、日本反スターリン主義運動の歴史においても初めての、デモ隊への権力による追認者なき火炎ビン投擲攻撃であったのだ。（玉川信明編著『内ゲバにみる警備公安警察の犯罪』ＫＫ書房刊、上巻四一一頁参照）

5　獲得された豊富な理論的諸教訓

海の彼方からの直撃を受け、内部対立を露わにしつつ未曽有の政府危機にたたきこまれたわが日本の支配階級。ロッキード事件をめぐって画歴史的な様相を呈しつつドラスティックに転回するこの現実を、われわれはいかに分析するのか。そして、「真相究明」運動をいかにのりこえてたたかうべきか。先にも述べたように、あらたな歴史的現実に投げこまれたわれわれは、真剣に論争し、この真摯な内部理論闘争をつうじてかちとられた理論的武器を実践に適用することによって、ロッキード反戦闘争を革命的な質をもつものとして実現した。

われわれが一九七六年二月以来、ほぼ一年にわたってたたかいぬいたロッキード反戦闘争、そのただなかでくりひろげた内部論議を通して獲得し、そして翌七七年の日韓疑獄弾劾の指針の解明にあたって方法的基準として適用してきたところの核心的な理論的教訓を、以下簡潔にまとめておきたい。

（一）その第一は、誰が何のために汚職暴露をしたのかをめぐる分析を深めるために、支配階級の内部対立にまで踏みこんで具体的に分析することが必要となる。この一歩踏みこんだ分析方法をわれわれは明らかにしてきた。

なぜなら、われわれの眼前に提起され、われわれが変革しようとする現実は、ほかならぬ支配階級の側からの暴露を契機として明らかになった現実であるからである。日米の関係においてこれを分析する場合には、アメリカ権力者の内部対立と日本支配階級内のそれとをおさえ、立体的に分析することが必要となる。

たとえば、チャーチ小委員会が何を目的としてロッキード暴露をおこなったのかをば――彼らが暴露した諸事実の分析とともに――われわれは分析するのであるが、その場合に、共和党と民主党というような政党間の対立だけから必ずしもとらえきれるとは限らない。

　このような現実を分析するためにわれわれは、対立し争闘している政治エリートの二実体を措定し、彼らがその利害を代弁する特定の独占体（経済エリート）間の対立・抗争との関係において、そのからみあいを動態的にとらえることを追求した。いうまでもなく、後述するベトナム戦争敗北いごのアメリカ帝国主義の新世界支配戦略のねりあげを主要な争点とするものとして。日本の側も同様であって、結果的に言えば上のように四実体を措定してこの関係を分析することが必要となるのである。（補参照）

　（二）さらに、アメリカにとっては同盟国である日本や西ドイツ、イタリアなどの特定の権力者の狙い撃ちがおこなわれたのはなぜかを分析するなかで、アメリカ帝国主義の世界支配戦略を分析する方法をも深めてきた。われわれは、彼らの世界支配戦略をば、軍事戦略（縦糸）と、資源エネルギーや穀物や高度技術および軍事技術を手段とした「経済戦略」（横糸）との統一においてとらえるとともに、この世界支配戦略を規定している彼らの理念（例えば新孤立主義イデオロギー）をも明らかにし、全体を構造的に分析する必要がある。

　ＩＭＦ体制の崩壊＝慢性的ドル危機を物質的基礎とし、ベトナム侵略戦争の政治的＝軍事的敗北を決定的契機として「ドル・核」帝国主義アメリカの権威は一九七〇年代半ばに完全に失墜した。従来の「大量報復戦略」と呼ばれる核戦略の限界露呈をつきつけられたアメリカ権力者は、ソ連国家がおしすすめるソ連勢力圏の拡大の動きに対抗し、中国国内の権力闘争の動向をにらみながら、世界支配戦略の練り直しを開始した。そして軍事的・政治的には、ソ連を主敵とし中国とは「準同盟」の関係を形成することを追求するとともに、兵器・高度技術・食糧などを実体的手段とした経済戦略をも軍事戦略にからめて発動することをつうじて、アメリカが世界支配を貫徹しようとしていること、このことをわれわれは明らかにしたのだ。

　（三）第三には、ロッキード疑獄弾劾の闘いを、反戦闘争として、同時に「経済の軍事化」阻止の闘いとしてたたかうという闘争方針の解明にかかわる諸問題である。

　あかるみにだされたロッキード疑獄を弾劾する闘いを、われわれは反戦・「経済の軍事化」阻止の闘いとして推進するべきことを、明らかにした。「ＰＸＬ機種選定をめぐる一九七二年の汚職は、ＰＸＬの輸入派……と国産派……という日本支配階級内部の対立……を背景とし物質的基礎としていた。したがってわれわれは、中ソの反労働者的対応を弾劾しつつ、自衛隊の軍備増強に反対する反戦闘争一般としてではなく、この闘いと直接的に統一するかたちにおいて、兵器生産に反対し『経済の軍事化』を阻止する闘いをたたかう」（波多野玄、芦村毅『現代帝国主義の腐朽』こぶし書房刊、二六～二七頁）、というように。

（四）ところで、このようなことを明らかにするために、その時どきの具体的な個別的な課題にかんする闘争＝組織戦術の解明に適用されるべき特殊的な運動＝組織路線（黒田寛一編著『日本の反スターリン主義運動２』こぶし書房刊、二七四頁）を次の四つに整序し、個別的課題をめぐる情勢分析にふまえるとともに・これらの路線を適用するかたちにおいて個別的な闘争＝組織戦術を打ちだしてゆくべきことを明らかにしたのであった。すなわち――

①反戦闘争路線（B_1）――帝国主義とスターリン主義によって分割支配されている現代世界の特殊性から提起される戦争政策および戦争（対スターリニスト圏への軍事侵略およびいわゆる「代理戦争」）に反対する闘い。

②反合理化闘争路線（B_2）――国家独占資本主義のもとでの直接的生産過程の技術化をめぐって提起される諸課題をめぐる闘い。

③政治経済闘争路線（B_3）――国家独占資本主義のもとでの政府の社会・経済政策（財政・金融政策のみならず労働政策などをふくむそれ）および流通過程（労働市場をふくむ）から提起される諸課題をめぐる闘い。

④経済の軍事化阻止闘争の路線（B_4）――国家独占資本主義のもとでの過剰資本の処理の典型的形態としての「経済の軍事化」、兵器生産、武器輸出、これらに反対する闘い。

『現代帝国主義の腐朽』で明らかにされたこのことは、『平和の創造とは何か』では次のように整序された。『B_1』＝反戦闘争路線、『B_2』＝賃金闘争路線、『B_3』＝反合理化闘争路線、『B_4』＝政治経済闘争路線、『B_5』＝『経済の軍事化』反対闘争や新植民地主義反対闘争の路線」、と（黒田寛一編著、こぶし書房刊、三三三頁）。（註）

この〈運動＝組織路線〉、これにもとづいてわれわれは、そのときどきの大衆闘争を組織化しつつ、わが反スターリン主義運動の組織的基盤を拡大し強化してきたのである。

（五）第五には「帝国主義戦争の必然性の貫徹形態の

変化および戦争そのものの形態変化」にかんする分析である。これは、ロッキード疑獄の分析をなんらなしえなかったブクロ派が「日米帝による朝鮮侵略戦争策動」をワメキたて、これを基礎づけるために大橋＝清水丈夫が「世界戦争の不可避性」という「恐るべき命題」なるものをもちだしたこと、これを根底的に破砕するための理論的追求のただなかで明らかにしたものである。

以上はなお、この時の内部論議の成果の一端にすぎない。これらの豊富な諸教訓は、とりわけその後の情勢分析や闘争＝組織戦術の解明に適用され、われわれの組織的実践の質的な高度化にとって不可欠なものとなったのである。

補　謀略粉砕闘争の理論的教訓を適用

権力者・支配階級内部の対立・抗争をわれわれがこのようにダイナミックに分析することが可能となったのは、ほかならぬわが革命的左翼にたいする国家権力の謀略攻撃を粉砕する闘いのただなかでうち鍛えてきた理論的武器、現実分析の方法を、ロッキード疑獄の分析に自覚的に適用したからにほかならない。

ロッキード暴露に先立つ七五年十二月、東京地検は結審まぢかの「芝浦会館事件」（東京港区の芝浦会館で会議中の全学連活動家を「兇器準備集合」罪をデッチ上げて逮捕した事件——詳細は前記『内ゲバ……』上巻三〇九頁以降を参照）の公判廷に突然「中核派の盗聴記録」と称して歴然たる警察の盗聴記録を提出した。しかも一〇〇頁におよぶその内容は、第三次謀略（七四年十月〜七五年三月）のすべてが警察権力内謀略グループのしわざであったことを鮮明に立証するものであった。東京地検は最高検察庁の指示のもとに、このような「新証拠」を満天下に公表したのだ。

この事実に直面してわれわれは、「内ゲバ」を装った謀略襲撃を基本的手段とするわが革命的左翼にたいする弾圧政策の継続をめぐって、それがわが〈謀略粉砕・走狗一掃〉の決死的闘いによる反撃で破綻を露わにしているがゆえに、警察・検察権力内部に、いや彼らを暴力装置として駆使する政治権力そのものの内部に深刻な亀裂と対立がうみだされていることをつかみとった。非合法的弾圧の実態を暴露された者（X_0）と暴露した者（X_1）の二実体を措定し、両グループの実体構成および弾圧政策上の対立の分析をおしすすめていった。

一ヵ月後に露わになったロッキード疑獄と「武器国産派」の蠢動に直面してわれわれは、ただちに右の経験を教訓化し、これを疑獄暴露をめぐる政治エリート・経済エリート・暴力装置の動向の分析に適用した。先述の日米の「四実体」（四つ組み）のからみあいを明らかにしていったのだ。これを通してまたわれわれは、謀略を主要な手段とする弾圧の張本人・国家権力内謀略グループの頭目が田中角栄その人であることをも特定しえたのである。

なお、ロッキード疑獄暴露において能動的な役割を果すけれどX_1とは別個の政治的目的をもつグループ（首相・三木とその一派）が顕在化するにおよんで、これをYと規定した。

註　その後の闘いの前進と組織的論議をつうじて、われわれの特殊的運動＝組織路線の規定は以下のように整序された。――

「B_1」＝反戦闘争路線、「B_2」＝賃金闘争路線、「B_3」＝反合理化闘争路線、「B_4」＝政治経済闘争路線、「B_5」＝「経済の軍事化」反対闘争路線、「B_6」＝新植民地主義反対闘争路線、「B_7」＝原発・核開発反対闘争路線。

（『はばたけ！　わが革命的左翼』上巻三九二頁、『革マル派五十年の軌跡』第三巻三九九頁、いずれもKK書房刊、参照）

〈参考文献〉
・『現代帝国主義の腐朽』（前掲）
・小泉伸一「ロッキード事件と現代帝国主義の危機」（『共産主義者』第四二～四三号）
・三好剛治「アメリカ帝国主義による世界支配の再編成」（『共産主義者』第四九号）

弾崎隆一

〔本号をもって「シリーズ　わが革命的反戦闘争の歴史」を終了します。〕

〈シリーズ　わが革命的反戦闘争の歴史〉掲載一覧

・60年安保闘争　闘いの高揚と挫折――ブント主義をいかにのりこえたのか？　三宅深海（第二九〇号）
・米・ソ核実験反対闘争　その1　62年8月6日モスクワ「赤の広場」デモ　野辺山進（同）
・米・ソ核実験反対闘争　その2　国際学連大会にのりこみ中・ソ学生官僚と大論戦　野辺山進（同）
・米・ソ核実験反対闘争　その3　原水禁運動の破産を宣告し全国に闘いの炎　初島厳太郎（同）
・米・ソ核実験反対闘争　その4　左右の偏向を克服

するための思想闘争　初島厳太郎（第二九一号）
・キューバ危機をめぐる思想的対立と分裂
仁科郷介（同）
・63―65年　日韓会談―条約締結阻止闘争
榊舞太郎／長浜精一（第二九二号）
・65年　ベトナム反戦闘争の創造　市井直司（同）
・反戦青年委員会を換骨奪胎する闘い
長浜精一（同）
・67年　砂川基地拡張阻止闘争
真地五朗（第二九五号）
・67年　4・28沖縄闘争　小机朝子（第二九六号）
・68年　安保＝沖縄闘争　小机朝子（同）
・67年　10―11月羽田闘争　長浜精一（同）
・68年1月　エンタープライズ佐世保寄港阻止闘争
高森市蔵（第二九八号）
・68年2―4月　米軍王子野戦病院反対闘争
高森市蔵（同）
・68年10月　新宿米軍タンク車輸送阻止闘争
初島厳太郎（同）
・69年「B52撤去」2・4沖縄ゼネスト
霧島武／霞張三（第三〇〇号）
・69年8月　本土―沖縄を結ぶ渡航制限撤廃闘争
霞張三（同）
・69年　安保＝沖縄闘争を牽引
山川鮎太（第三〇一号）
・70年安保闘争の高揚を切り拓く
山川鮎太（第三〇二号）
・71年沖縄返還協定粉砕闘争　その1　沖縄全島をゆるがした5・19ゼネスト　荻堂克二（第三〇三号）
・71年沖縄返還協定粉砕闘争　その2　首都で燃えあがった調印・批准阻止闘争　水俣四郎（第三〇三号）
・72年3―4月　沖縄全軍労無期限ストライキ
霞張三（第三〇四号）
・72年4―6月　動力車労組の反戦順法闘争
古鶴武士（第三〇五号）
・72年8―11月　相模原闘争　三ヵ月の激闘
谷川涼太（第三〇六号）
・72年10・28　総評青年協北熊本闘争
水俣四郎（同）
・73年9―11月　ミッドウェー横須賀母港化阻止闘争
弾崎隆一（第三〇七号）
・76年　ロッキード反戦闘争
弾崎隆一（第三〇八号）

国際・国内の階級情勢と革命的左翼の闘いの記録（二〇二〇年四月〜五月）

国際情勢

4・2 新型コロナ感染者が世界で100万人を超える
4・5 英首相ジョンソンが新型コロナ感染で入院。6日に集中治療室入り、12日に退院
4・7 **米大統領トランプがWHOを中国寄りと非難。WHO事務局長テドロスは「ウイルスの政治問題化反対」と反論**（8日）。**トランプは拠出金を停止**（14日）
4・8 中国で武漢市の封鎖措置を解除
▽米大統領選民主党候補指名争いからサンダースが撤退を表明。バイデン支持を表明（13日）
▽仏空母シャルル・ドゴールの乗員約80人がコロナ感染の疑いで隔離措置。15日には668人に
▽アフガニスタン政府がタリバン兵100人の釈放を発表。9日にさらに100人を釈放
4・9 米の新規失業保険申請件数が3月半ばから1700万件超。30日に6週間で3000万件超に
4・12 OPECとロシアなどが日量970万バレル減産で合意
4・13 チェルノブイリ原発周辺で4日から森林火災、原発まで1・5キロに火が迫るとの報道
4・14 IMFが20年の世界経済成長率は前年比3％減で大恐慌以来最悪と予測
▽新型コロナが武漢の生物研究所から流出の疑いと米紙報道。トランプが中国の責任追及と会見（17日）
4・15 韓国総選挙で与党「共に民主党」が圧勝
▽ロシアが人工衛星破壊兵器の発射実験と米軍が発表
▽米ミシガン州で民主党知事の「外出禁止」措置に反

国内情勢

4・1 首相・安倍晋三がコロナ対策本部会合で「全世帯に布マスク2枚を配布」と表明
▽東京株式市場で大幅続落、一時1000円超安、終値が1万8065円
▽日銀が3月短観を発表。業況判断指数が大企業製造業で7年ぶりのマイナス
▽国家安全保障局の「経済班」が正式発足
4・3 安倍政権・自民党が所得減少世帯への30万円支給、金融機関による無利子・無担保の融資制度、自治体への1兆円支給をうちだす
4・7 **安倍が東京都など7都府県に緊急事態宣言を発令、5月6日まで**
▽臨時閣議で緊急経済対策を決定。「緊急支援フェーズ」と「V字回復フェーズ」を設定し後者に重点。30万円給付に厳しい条件をつけ支給は5月で1回きり（後に撤回）
▽日本製鉄が鹿島と和歌山の高炉1基ずつを一時休止と発表、その後君津も。室蘭と八幡の各1基も前倒し休止と発表（5月8日）
4・9 広島地検が前法相・河井克行の妻・案里の選挙違反容疑で広島県議宅などを捜索
4・11 新型コロナの感染者が全国1日当たり690人に、5日連続で過去最多を更新
4・12 安倍が自宅で犬を抱いてくつろぐ姿を動画サイトに投稿、非難が殺到

革命的左翼の闘い

〔4月7日の安倍政権による「緊急事態宣言」発令いこう、政府・地方自治体当局によるさまざまなかたちでの「行動制限」がおこなわれた。このただなかで、わが同盟は「生活補償なき『緊急事態宣言』の強権的発令反対！」「〈パンデミック恐慌〉下での労働者・人民への犠牲強制を許すな！」「貧窮人民を見殺しにする安倍政権を打倒せよ！」と機関紙誌で精力的に訴えた。これに呼応して、たたかう労働者・学生が、それぞれの職場・学園・地域などでさまざまな創意工夫した闘いをくりひろげた。〕
4・8 沖縄県反戦労働者委員会がヘリ基地反対協議会の呼びかけにこたえ辺野古新基地建設工事即時中止の闘いに決起、嘉手納町の沖縄防衛局前で抗議集会をかちとる
4・24 沖縄県学連が安倍政権・防衛省による辺野古新基地の設計変更申請に抗議する緊急闘争に決起。沖縄防衛局前広場で抗議集会、当局に抗議文をつきつける

対しトランプ支持者が銃で武装しデモ
4・16 **トランプが「コロナ感染のピークは過ぎた」と称して経済活動を3段階で再開させると発表**
▽G7首脳TV会議でWHO非難のトランプが孤立
▽ブラジル大統領ボルソナロがコロナ対策強化を主張した保健相を解任。ブラジルの感染者は3万人超に
4・17 **中国の1～3月期GDPが前年同期比で6・8%減。政治局会議で「尋常ではない」と評価**
▽武漢市政府が市内の新型コロナ死者数に1290人算入漏れと発表。死者数は1・5倍の3896人に
4・18 香港警察が民主派や香港紙創業者など15人逮捕
▽中国政府が南シナ海に新「行政区」設置と発表。ベトナム政府は「主権侵害」と抗議（19日）
4・20 **ニューヨーク原油先物価格**（5月物）**が1バレル＝マイナス37・63ドル、史上初のマイナス**
▽イスラエルでリクードと野党「青と白」が連立で合意。5月17日に首相ネタニヤフの第5次政権成立
4・21 米で新型コロナ対策費4840億ドルの追加策
▽国連が新型コロナの影響で食糧危機人口が世界で2億5000万人以上に倍増と報告
▽米海軍が南シナ海に強襲揚陸艦など2隻派遣。13日から同海域で米豪合同訓練を実施と公表（22日）
4・22 イラン革命防衛隊が初の軍事衛星打ち上げ
4・23 中国がWHOに3000万ドル追加寄付
▽EU諸国が新型コロナ対策で100兆～200兆円規模の復興資金設置で合意
▽トランプが「消毒薬の注射でウイルスを退治」と妄言
▽米第7艦隊の駆逐艦が台湾海峡を通過（～24日）
4・27 世界の19年軍事支出1兆9170億ドル、前年比

4・14 自民党幹事長・二階俊博が一部に30万円ではなく国民一律10万円支給を政府に要求。公明党・山口那津男が一律10万円支給を安倍に要求、安倍が「検討」と応える（15日）
4・15 東京新宿区で国立医療センター病院（新宿）と医師会などが共同でPCR検査所を設置すると区長が発表。17日に都医師会が都内10ヵ所に検査所を月内に開設と発表
▽3月の訪日外国人数が前年同月比93%減
4・16 **安倍政権が全都道府県に緊急事態宣言を発令、国民1人一律10万円支給方針を表明。**やり直し閣議で約25・7兆円の補正予算を再決定（20日）。参院で成立（30日）
▽普天間基地から有毒物質入り泡消火剤が流出した問題で防衛省が基地立ち入り調査。米軍が汚染土壌を除去、沖縄県の土壌提供要求を拒否（24日）
4・17 辺野古の工事従事者の新型コロナ感染で工事を一時中断
▽「宇宙作戦隊」設置法が成立。5月8日に発足
4・18 全国のコロナ感染者が1万人を超える
4・19 経済再生相・西村康稔が地方自治体に配る1兆円の臨時交付金について批判をうけ休業支援に充てることを容認する方針を発表
4・21 防衛省が辺野古新基地の設計基準を軟弱地盤改良のため変更すると沖縄県に申請。県知事・玉城デニーは申請を認めない方針
4・23 政府が配布した布マスクに不良品、業者が未配布分を回収と発表

5・8 **全学連が首相官邸および文部科学省にたいする断固たる弾劾・抗議の闘いに決起。**午前、全員白ヘルの部隊が首相官邸前に登場、「貧窮人民の見殺し弾劾！ 生活補償なき『緊急事態宣言』継続反対！ コロナ危機を利用した憲法改悪粉砕！ 安倍政権を打倒せよ！」のシュプレヒコールを官邸に叩きつける。急きょ増員された警察機動隊の弾圧をはねかえし闘争を貫徹。午後、文部科学省玄関前に登場し、「安倍政権による困窮学生の切り捨て弾劾！ 学費値上げ反対！」を掲げて抗議集会を実現。文科省当局に首相・安倍晋三、文科相・萩生田光一にたいする抗議文をつきつける
5・14 沖縄県学連が自民党沖縄県連にたいする緊急抗議闘争に起つ（那覇市）。〈パンデミック恐慌〉下で独占資本救済に狂奔し貧窮人民を見殺しにする安倍政権を弾劾。検察庁法改定・憲法改悪反対、辺野古新基地建設反対のシュプレヒコール
5・19 **全学連が国会前で「貧窮人民見殺しの安倍政権打倒！ 検察庁法改定反対！」を掲げ緊急闘争。**全学連を先頭とした人民の断固とした決起によって検察庁法改定を阻止したことを確認し、「人民の生活補償なき『緊急事

3・6%増。2010年以降で最大の伸び

▽**米の新型コロナ感染者100万人超。死者5万8368人、ベトナム戦争での死者数を超える**（29日）

▽米駆逐艦が南シナ海で「航行の自由作戦」。29日には米巡洋艦が実施

4・29 国際労働機関（ILO）がコロナ感染拡大で世界の労働者の半数16億人が失業の危機という報告書

▽米の1～3月期GDPが年率で前期比4・8%減

4・30 ロシアのコロナ感染者10万人超、首相も感染

5・3 ベネズエラでマドゥロ政権転覆のクーデタ未遂事件、元米軍人などを拘束

▽北朝鮮が非武装地帯の韓国側監視所に銃弾4発発射

5・5 中国が大型ロケット「長征5号B」打ち上げ、次世代有人宇宙船を搭載

5・6 独がコロナ対策での営業規制・都市封鎖措置などの大幅緩和を発表。11日には仏が外出制限を解除

5・7 米司法省が16年大統領選の露疑惑めぐり偽証罪で告発された元大統領補佐官フリンの訴追取り下げ

5・8 **米労働省が4月失業率は戦後最悪の14・7%、雇用は前月比2050万人減と発表**

5・11 米上院で台湾のWHOオブザーバー参加支援法案を可決

5・12 4月の米財政赤字が過去最大の約7400億ドル

▽中国が豪からの食肉輸入停止措置。WHO以外の国際機関の武漢ウイルス調査を要求した豪への報復

5・13 EUが加盟国に国境管理の段階的撤廃を提案

5・17 アフガニスタンで大統領ガニと前行政長官アブドラが政治権力を分けあう新政権樹立で合意

4・27 **日銀が国債買い入れの上限を撤廃、資金繰り支援策などで政府のコロナ対策を支える**

4・28 防衛省が中国海軍空母「遼寧」などが宮古海峡を北上と発表

4・29「連合」が第91回メーデー中央集会を中止しメッセージ動画を配信

▽安倍が衆議院予算委で学校始業・入学時期の9月への変更を検討と表明。その後見送りに

4・30 厚生労働省がテレワーク実施率は4月中旬で全国平均27%、7割目標に達せずと発表

5・3 安倍が改憲派の集会にメッセージ、憲法への緊急事態条項新設をおしだす

5・4 政府が緊急事態宣言を5月31日まで延長

5・6 防衛省がイージス・アショアの秋田市への配備を断念、同県の別候補地を探す方針

5・8 与党が衆院内閣委で検事定年延長の検察庁法改定案の審議を強行、野党は抗議し欠席

▽中国海警局の公船4隻が尖閣諸島「領海」に入り2隻が日本漁船を追尾

5・10 海上自衛隊護衛艦「きりさめ」が「たかなみ」と交代のため中東へ出航

5・11 経団連が産業構造の転換をめざす提言。感染拡大を機にデジタル化促進を狙う

5・12 年金改革関連法案が衆院で可決。年金支給を上限75歳までに。参院で成立（29日）

▽トヨタが21年3月期連結決算予想を発表、営業利益が前期比79・5%減の見通し

5・13 原子力規制委が日本原燃の使用済み核燃

態』継続反対！ 学費を無償化せよ！ 労働者の大量首切り反対！」のシュプレヒコールを国会に叩きつける

▽早稲田大学・国学院大学などの首都圏のたたかう学生が国会前で開かれた「検察庁法改定反対！ 権力私物化許さない！ 安倍政権退陣！ 5・19緊急国会議員会館前行動」に結集し最先頭で奮闘

▽全学連北海道地方共闘会議と反戦青年委員会が自民党道連に緊急抗議闘争（札幌市）。多くの労働者・市民が見守るなか、独占資本救済・困窮人民見殺しの安倍政権を弾劾

5・25 沖縄県学連の学生が那覇市の県庁前交差点で「安倍政権打倒！」を訴える街頭情宣に決起。労働者・市民の熱烈な共感のなかで「ただちに学費を無償化せよ！」「辺野古新基地建設阻止！」「憲法改悪阻止！」を訴える

5・28 **全学連が中国大使館にたいする緊急抗議闘争に決起**。香港人民弾圧のための「国家安全法」反対！「たたかう香港人民にたいする習近平政権の弾圧を許すな！」を掲げ、1時間半にわたり大使館正門前に4度抗議団をおくりこみ奮闘

▽全学連関西共闘会議の学生が自民党大阪府連への抗議闘争に起つ（大阪

5・18 **WHO年次総会**（～19日）。**中国の反対で台湾のオブザーバー参加は見送りに**
▽香港立法会で「国歌条令案」を審議。反対の抗議デモ
5・20 韓国検察が元従軍慰安婦支援団体「正義連」事務所を会計処理をめぐり家宅捜索。文在寅政権に打撃
▽台湾総統・蔡英文が2期目の就任演説。中国の「1国2制度」はうけいれないと言明
▽米政府が台湾に大型誘導魚雷などの売却を決定
5・22 **中国全国人民代表大会**（～28日）。**首相・李克強が政府活動報告、「感染症対策の戦略的成果」を確認するが終息宣言はださず、20年の経済成長率の目標設定も見送り。28日に香港の反政府活動を禁止する国家安全法制定決定を可決。軍事費は1兆2680億元で前年比6・6％増**
▽アルゼンチンが債務不履行に
5・24 香港で国家安全法制に反対するデモ、160人以上が拘束。27日には360人以上が拘束
5・25 **米ミネソタ州で白人警官が黒人を暴行し殺害。全米で抗議行動。**30日にホワイトハウス前で大集会。31日には140以上の都市で抗議デモ。ワシントンなどでは州兵が出動、40以上の都市に夜間外出禁止令
5・27 米下院で中国への制裁発動を大統領に求める「ウイグル人権法案」可決
5・29 トランプが香港優遇措置を保証する「特別な地域」扱いを撤廃と発表。WHO脱退の意向もうちだす
▽ルノーが世界で8％約1万5千人削減のリストラ策
5・30 世界の新型コロナの死者数37万人超に。感染者数は600万人を超える

料再処理工場（六ヶ所村）の「審査書案」了承
5・14 政府が8都道府県を除く39県の緊急事態宣言を解除
5・15 レナウンが民事再生法適用を申請し倒産
5・18 **政府・与党が検察庁法改定案の今国会成立を断念。全学連の5・8首相官邸前闘争を先頭にした反対運動の高揚によって粉砕**
5・19 政府が困窮学生に条件つきで最大20万円給付と閣議決定、わずか10人に1人
5・20 川内原発2号機がテロ対策施設の建設遅れで停止
5・21 東京高検検事長・黒川弘務が賭けマージャンで辞表提出。政府が閣議で承認（22日）
▽弁護士・学者ら662人が安倍らを「桜を見る会」問題で告発
5・23 毎日新聞の世論調査で内閣支持率が27％に急落。朝日新聞では29％（24日）
5・25 **政府が緊急事態宣言を前倒しで全面解除**
5・27 政府が第2次補正予算案を閣議決定。一般会計は31・9兆円、大企業を全面支援
▽スーパーシティ構想を謳う国家戦略特区法改定案と巨大IT企業規制強化法案が参院成立
5・28 衆院憲法審査会を今国会で初開催、国民投票法案は採決できず
5・29 **総務省が4月の労働力調査を発表。非正規労働者が前年同月比97万人減で過去最大の減少、休業者は597万人で過去最多、完全失業者178万人**

市）。「憲法改悪反対！」「緊急事態条項の新設を許すな！」「困窮人民見殺しの安倍政権打倒！」を熱烈に訴え、労働者・市民の共感をかちとる

『新世紀』バックナンバー

No.307 2020年7月	No.306 2020年5月	No.305 2020年3月	No.304 2020年1月
新型コロナ禍 反安倍政権の炎を	**安倍の新型コロナ対策の反人民性**	**今こそ反スタ運動の雄飛を！**	**サウジ石油施設攻撃事件の意味**
人民見殺しの安倍政権打倒／コロナウイルス出生の闇／政府は休業補償せよ／困窮学生の切り捨て弾劾／奮闘する医療・介護・教育労働者／米の感染爆発／春闘圧殺に抗して―私鉄・自動車・化学・NTT・鉄鋼・郵政／73年横須賀闘争	無為無策の安倍政権／〈反安倍政権〉の闘いに起て／苦闘する医療労働者／情報統制に狂奔する習近平／決裂したCOP25／日共の綱領改定／20春闘の勝利をかちとれ／2・9労働者集会基調報告／郵政春闘／72年相模原・北熊本闘争	米のイラン攻撃阻止・日本の中東派兵阻止／軍国主義帝国の最後のあがき／香港人民への武力弾圧弾劾／中国「建国70年」式典／給特法撤廃／日米貿易協定／福島原発核燃料デブリ取出し／原発「共同事業化」／72年動労反戦順法闘争	改憲阻止・反安保の爆発を／香港警察の弾圧弾劾／消費税増税／台風被災民見殺し／日共「野党連合政権」構想批判／戦後謀略と日共の犯罪／教員の「働き方改革」／MMTの幻夢／ゲノム編集／黒田思想をわがものに／72年全軍労スト

新 世 紀 第308号 (隔月刊)

日本革命的共産主義者同盟 革命的マルクス主義派 機関誌©

発行日 2020年 8 月 10 日

発行所 解 放 社

〒162-0041 東京都新宿区早稲田鶴巻町 525-3
電話 03-3207-1261 振替 00190-6-742836
URL http://www.jrcl.org/

発売元 有限会社 K K 書 房

〒162-0041 東京都新宿区早稲田鶴巻町 525-5-101
電話 03-5292-1210 振替 00180-7-146431
URL http://www.kk-shobo.co.jp/

ISBN 978-4-89989-308-0 C0030

落丁・乱丁本はおとりかえいたします。